佛菩薩經典系列⑧

維摩詰菩薩經典

佛菩薩經典的出版因緣

佛菩薩經典的出版，帶給我們許多的法喜與希望。因為透過這些經典的導引，將使我們了悟佛菩薩的偉大聖德，不只能讓我們得到諸佛菩薩的慈光佑護，更能令我們吉祥願滿。最重要的是使吾等能隨學於彼，以他們作為生命的典範，學習他們偉大的生涯，成就佛智圓滿。

佛菩薩經典的集成，是秉持對諸佛菩薩的無上仰敬，祈望將他們的慈悲、智慧、聖德、本生及修證生活，完滿的呈現在真正修行的佛子之前。使皈依於他們的人，能夠擁有一本隨身指導修行的經典匯集，能時時親炙於他們的法身智慧；讓大家就宛如隨時擁有一座諸佛菩薩專屬的教化殿堂，完成「生活即佛經、佛經即生活」的希望。現在，我們將這一個成果，供養給這些偉大的佛菩薩，也將之呈獻給所有熱愛佛典的大眾。

為了讓大家能迅速的掌握經典的義理，此套佛典全部採用新式分段、標點，使讀者能事半功倍的總持佛心妙智；並在珍貴的生命旅程中，迅速掌握到幸福與光明的根源。

我們希望這一套書，能使大家很快地親見諸佛菩薩的真實面貌，將他們成為我們人生中最親切的導師。在歡樂幸福的時候，激勵大家不要放逸，精進修行，在憂鬱煩惱的時候，使大家獲得安寧喜悅；更重要的是幫助我們解脫自在，得到清淨的智慧光明。而我們更應當學習諸佛菩薩的大悲願力，成為無盡的燈明，並依止他們的威神加持，用慈悲與智慧來幫助一切眾生。

學習諸佛菩薩，使我們成為他們的使者；這個心願，是我們一直想推行的運動。或許有人會質疑：自己有什麼樣的資格，來成為佛菩薩的使者，甚至化身呢？但是，大乘佛法的根本，即是要我們發起菩提心，學習諸佛菩薩救度眾生的妙行。因此，菩薩的發心，首先是依止「眾生無邊誓願度，煩惱無盡誓願斷，法門無量誓願學，佛道無上誓願成」等共同的誓願，然後再依個別的因緣，發起不共的大願；這本來就是最根本的行持而已。而且這樣的發心，是任何人都可以也應該發起的，絕沒有條件與境界的限制。

所以，我們學習諸佛菩薩，當然初始時，根本無法如他們擁有廣大的慈悲、智慧。但是，我們可以學習成為他們的使者，成為他們百分之一、千分之一、萬分之一，乃至億萬分之一的化身；這樣還是可以立即發心，開始修習菩薩行的。只有當下立即發心開始修習，才是真正的開始啊！這是不需要任何預備動作的；開始時請立即開始，我們現在就成為無數分之一的佛菩薩，讓我們在這個充滿強而有力的科技文明，卻又十分混亂的世界中，幫助大家，也幫助自己吧！

這次佛菩薩經集編輯成十本，首先選擇與大家因緣深厚的佛菩薩，讓我們歡喜親近、體悟修習。這十本是：

一、阿彌陀佛經典

二、藥師佛‧阿閦佛經典

三、普賢菩薩經典

四、文殊菩薩經典
五、觀音菩薩經典
六、地藏菩薩經典
七、彌勒菩薩・常啼菩薩經典
八、維摩詰菩薩經典
九、虛空藏菩薩經典
十、無盡意菩薩・無所有菩薩經典

我們希望透過這些經典的導引，能讓我們體悟諸佛菩薩的智慧悲心，也讓我們向彼等學習，使我們成為與阿彌陀佛、藥師佛、阿閦佛、觀音菩薩、文殊菩薩、普賢菩薩、地藏菩薩等同見同行的人。隨著自己的本願發心，抉擇一位佛菩薩學習，然後不斷增長，到最後迅速與諸佛菩薩完全相應，成為他們圓滿的化身，同一無二，成就佛智菩提，並使所有的眾生圓滿成佛。

凡例

一、關於本系列經典的選取，以能彰顯該佛或菩薩之教化精神為主，以及包含各同經異譯本，期使讀者能迅速了解諸佛菩薩之教法。

二、本系列經典選取之經文，以卷為單位；若是選取的經文為某卷中的一部分時，本系列經典仍保留卷題與譯者名，而所節略之經文處，則以「㊣」表之。

三、本系列經典係以日本《大正新修大藏經》（以下簡稱《大正藏》）為底本，而以宋版《磧砂大藏經》（新文豐出版社所出版的影印本，以下簡稱《磧砂藏》）為校勘本，並輔以明版《嘉興正續大藏經》與《大正藏》本身所作之校勘，作為本系列經典之校勘依據。

四、《大正藏》有字誤或文意不順者，本系列經典校勘後，以下列符號表示之：

㈠改正單字者，在改正字的右上方，以「*」符號表示之。如《藥師琉璃光七佛本願功德經》卷上的經名：

藥師琉「瑠」光七佛本願功德經卷上《大正藏》

藥師琉「璃」光七佛本願功德經卷上《磧砂藏》

校勘改作為：

藥師琉*璃光七佛本願功德經卷上

(二)改正二字以上者，在改正之最初字的右上方，以「*」符號表示之；並在改正之最末字的右下方，以「☆」符號表示之。

如《阿閦佛國經》卷上〈阿閦佛剎善快品〉之中：

其地行足蹈其上即「滅這」，舉足便還復如故《大正藏》

其地行足蹈其上即「陷適」，舉足便還復如故《磧砂藏》

校勘改作為：

其地行足蹈其上即*陷適☆，舉足便還復如故

五、《大正藏》中有增衍者，本系列經典校勘刪除後，以「①」符號表示之；其

中圓圈內之數目，代表刪除之字數。

如《大寶積經》卷二十〈往生因緣品〉之中：

於「彼彼佛剎」隨樂受生《大正藏》

於「彼佛剎」隨樂受生《磧砂藏》

校勘改作為：

於彼①佛剎隨樂受生

六、《大正藏》中有脫落者，本系列經典校勘後，以下列符號表示之：

㈠脫落補入單字者，在補入字的右上方，以「⊙」符號表示之。

如《佛說無量清淨平等覺經》卷二之中：

如帝王雖於人中「好無比」，當令在遮迦越王邊住者《大正藏》

如帝王雖於人中「獲好無比」，當令在遮迦越王邊住者《磧砂藏》

校勘改作為：

如帝王雖於人中⊙獲好無比，當令在遮迦越王邊住者

(二)脫落補入二字以上者，在補入之最初字的右上方，以「⊙」符號表示之，並在補入之最末字的右下方，以「☆」符號表示之。

如《佛說無量壽經》卷上之中：

乃至三千大千世界「眾生緣覺」，於百千劫悉共計挍《大正藏》

乃至三千大千世界「眾生悉成緣覺」，於百千劫悉共計挍《磧砂藏》

校勘改作為：

乃至三千大千世界眾生⊙悉成☆緣覺，於百千劫悉共計挍

(三)有脫落字而無校勘者，以「□」符號表示之。

如《藥師如來念誦儀軌》之中：

令　又令須蓮臺《大正藏》

《磧砂藏》無此經，而《大正藏》之校勘中，除原藏本外，並無他本藏經之校勘，故為標示清楚，特作為：

令□又令須蓮臺

七、本系列經典依校勘之原則，而無法以前面之各種校勘符號表示清楚者，則以「㊟」表示之，並在經文之後作說明。

八、《大正藏》中，凡不影響經義之正俗字（如：恆、恒）、通用字（如：蓮「華」、蓮「花」）、音譯字（如：目「犍」連、目「乾」連）等彼此不一者，本系列經典均不作改動或校勘。

九、《大正藏》中，凡現代不慣用的古字，本系列經典則以教育部所頒行的常用字取代之（如：讃→讚），而不再詳以對照表說明。

十、凡《大正藏》經文內本有的小字夾註者，本系列經典均以小字雙行表示之。

十一、凡《大正藏》經文內之咒語，其斷句以空格來表示。若原文上有斷句序號而未空格時，則本系列經典均於序號之下，加空一格；但若作校勘而有增補空格或刪除原文之空格時，則仍以「◎」、「①」符號校勘之。又原文若無序號亦未斷句者，則維持原樣。

十二、本系列經典之經文，採用中明字體，而其中之偈頌、咒語及願文等，皆採用正楷字體。另若有序文或作註釋說明時，則採用仿宋字體。

十三、本系列經典所作之標點、分段及校勘等，以儘量順於經義為原則，來方便讀者之閱讀。

維摩詰菩薩經典序

維摩詰菩薩（梵名Vimalakīrti毘摩羅詰），漢譯有無垢稱、淨名、滅垢鳴等名號，是大乘佛教中，最為重要的居士之一。

維摩詰菩薩出生於佛陀之時，是毘耶離城的大長者。傳說他本來居住於阿閦佛的妙喜世界，但為了度脫眾生，所以示現在毘耶離城。他曾供養過無量的諸佛，深植善根，是一位得證無生法忍的法身大士；具足無礙辯才與遊戲神通，圓滿六波羅蜜，能以無邊的方便善巧救度眾生。

維摩詰菩薩示現為居士身，所以有妻子、眷屬，但常修梵行。他能自在出入一切場所，相應於外道，是具足方便波羅蜜的偉大菩薩，也是所有佛教徒應當學習皈命的大士。因為，他的真正心態與目的是「至博奕戲處，輒以度人」、「受諸異道，不毀正信」、「遊諸四衢，饒益眾生」，甚至於「入諸淫舍，示欲之過」。他是一位奇特的在家菩薩，所行的一切不拘常格，自然的隨機設教。

在《維摩詰經》裏，維摩詰菩薩生病，釋尊派遣弟子們問疾，然而弟子們大多自承不堪前往，最後只有由文殊菩薩率領大眾前往問疾。在問疾時，維摩詰與文殊兩大菩薩藉由問疾，將甚深佛法開顯出來，使眾生得到無邊法益，這實在是維摩詰菩薩大悲方便所自然流露的法音。

為了彰顯維摩詰菩薩大悲方便的偉大功德，也希望深切仰信維摩詰菩薩的佛弟子眾，能夠隨學於他，理解、總持維摩詰菩薩的教法；所以，我們特別將維摩詰菩薩的相關重要經典，編輯成一册，期使所有的修行人，能隨時攜帶這一本經集，做為隨身的修證聖典。讓我們在任何時地都能憶念維摩詰菩薩的方便大智，使我們在困頓時有所依止，煩惱時能飲下清涼的般若法語，平順時智慧明利、精進不懈，修持時有維摩詰菩薩的大悲方便光明作導引。使維摩詰菩薩的智慧法身，常住我們的心中，並隨時隨地加持我們具足悲心、智慧，並圓滿一切大願。

南無　維摩詰菩薩摩訶薩

目錄

維摩詰所說經⊙卷上☆

一名不可思議解脫②

姚秦三藏鳩摩羅什譯

佛國品第一

如是我聞：一時，佛在毘耶離菴羅樹園，與大比丘衆八千人俱。菩薩三萬二千，衆所知識，大智本行皆悉成就，諸佛威神之所建立，為護法城受持正法；能師子吼名聞十方，衆人不請友而安之；紹隆三寶能使不絕，降伏魔怨制諸外道；悉已清淨永離蓋纏，心常安住無礙解脫，念定總持辯才不斷；布施、持戒、忍辱、精進、禪定、智慧及方便力無不具足，逮無所得不起法忍；已能隨順轉不退輪，善解法相知衆生根，蓋諸大衆得無所畏；功德智慧以修其心，相好嚴身色像第，隨所調伏衆生而取佛土，隨諸衆生應以何國入佛智慧而取佛土，隨諸衆生應以何國起菩薩根而取佛土。所以者何？菩薩取於淨國，皆為饒益諸衆生故。譬如有人欲於空地造立宮室隨意無礙，若於虛空終不能成；菩薩如是，為成就衆生故願取佛國，願取佛國者非於空也！

「寶積！當知直心是菩薩淨土，菩薩成佛時，不諂衆生來生其國。深心是菩薩淨土，菩薩成佛時，具足功德衆生來生其國。菩提心是菩薩淨土，菩薩成佛時，大乘衆生來生其國。布施是菩薩淨土，菩薩成佛時，一切能捨衆生來生其國。持戒是菩薩淨土，菩薩成佛時，行十善道滿願衆生來生其國。忍辱是菩薩淨土，菩薩成佛時，三十二相莊嚴衆生來生其國。精進是菩薩淨土，菩薩成佛時，勤修一切功德衆生來生其國。禪定是菩薩淨土，菩薩成佛時，攝心不亂衆生來生其國。智慧是菩薩淨土，菩薩成佛時，正定衆生來生其國。四無量心是菩薩淨土，菩薩成佛時，成就慈、悲、喜、捨衆生來生其國。四攝法是菩薩淨土，菩薩成佛時，解脫所攝衆生來生其國。方便是菩薩淨土，菩薩成佛時，於一切法方便無礙衆生來生其國。三十七道品是菩薩淨土，菩薩成佛時，念處、正勤、神足、根、力、覺、道眾生來生其國。迴向心是菩薩淨土，菩薩成佛時，得一切具足功德國土。說除八難是菩薩淨土，菩薩成佛時，國土無有三惡八難。自守戒行不譏彼闕是菩薩淨土，菩薩成佛時，國土無有犯禁之名。十善是菩薩淨土，菩薩成佛時，命不中夭、大富、梵行、所言誠諦、常以軟語、眷屬不離、善和諍訟、言必饒益、不嫉不恚、正見眾生，來生其國。

「如是，寶積！菩薩隨其直心則能發行，隨其發行則得深心，隨其深心則意調伏，隨*其調伏則如說行，隨如說行則能迴向，隨其迴向則有方便，隨其方便則成就眾生，隨成就眾生則佛土淨，隨佛土淨則說法淨，隨說法淨則智慧淨，隨智慧淨則其心淨，隨其心淨則一切功德淨。是故，寶積！若菩薩欲得淨土，當淨其心，隨其心淨則佛土淨。」

爾時，舍利弗承佛威神作是念：「若菩薩心淨則佛土淨者，我世尊本為菩薩時意豈不淨，而是佛土不淨若此！」

佛知其念即告之言：「於意云何？日月豈不淨耶？而盲者不見。」

對曰：「不也！世尊！是盲者過，非日月咎。」

「舍利弗！眾生罪故，不見如來佛土嚴淨，非如來咎。舍利弗！我此土淨而汝不見。」

爾時，螺髻梵王語舍利弗：「勿作是意，謂此佛土以為不淨。所以者何？我見釋迦牟尼佛土清淨，譬如自在天宮。」

舍利弗言：「我見此土丘陵坑坎、荊蕀沙礫，土石諸山穢惡充滿。」

螺髻梵言：「仁者心有高下，不依佛慧故，見此土為不淨耳。舍利弗！菩薩於一切眾生，悉皆平等，深心清淨；依佛智慧則能見此佛土清淨。」

於是佛以足指按地，即時三千大千世界若干百千珍寶嚴飾，譬如寶莊嚴佛無量功德寶莊嚴土，一切大眾歎未曾有，而皆自見坐寶蓮華。

佛告舍利弗：「汝且觀是佛土嚴淨。」

舍利弗言：「唯然！世尊！本所不見，本所不聞，今佛國土嚴淨悉現。」

佛語舍利弗：「我佛國土常淨若此，為欲度斯下劣人故，示是衆惡不淨土耳！譬如諸天共寶器食，隨其福德飯色有異。如是，舍利弗！若人心淨便見此土功德莊嚴。」

當佛現此國土嚴淨之時，寶積所將五百長者子皆得無生法忍，八萬四千人皆發阿耨多羅三藐三菩提心。佛攝神足，於是世界還復如故。求聲聞乘⊙者三萬二千⊙諸天及人，知有為法皆悉無常，遠塵離垢得法眼淨；八千比丘不受諸法漏盡意解。

維摩詰所說經方便品第二

爾時，毘耶離大城中有長者名維摩詰，已曾供養無量諸佛，深植善本得無生忍；辯才無礙，遊戲神通，逮諸總持；獲無所畏降魔勞怨，入深法門善於智度，通達方便大願成就；明了衆生心之所趣，又能分別諸根利鈍；久於佛道，心已純淑，決定大乘；諸有所作能善思量，住佛威儀心大如海。諸佛咨嗟，弟子、釋、梵世主所敬；欲度人故，以善方便居毘耶離。資財無量攝諸貧民，奉戒清淨攝諸毀禁，以忍調行攝諸恚怒，以大精進攝諸懈怠，一心禪寂攝諸亂意，以決定慧攝諸無智。

雖為白衣，奉持沙門清淨律行；雖處居家，不著三界；示有妻子，常修梵行；現有眷屬，常樂遠離；雖服寶飾，而以相好嚴身；雖復飲食，而以禪悅為味；若至博弈戲處，輒以度人；受諸異道，不毀正信；雖明世典，常樂佛法；一切見敬為供養中最，執持正法攝諸長幼；一切治生諧偶，雖獲俗利不以喜悅。遊諸四衢饒益眾生，入治政法救護一切，入講論處導以大乘，入諸學堂誘開童蒙，入諸婬舍示欲之過，入諸酒肆能立其志。若在長者，長者中尊，為說勝法。若在居士，居士中尊，斷其貪著。若在刹利，刹利中尊，教以忍辱。若在婆羅門，婆羅門中尊，除其我慢。若在大臣，大臣中尊，教以正法。若在王子，王子中尊，示以忠孝。若在內官，內官中尊，化政宮女。若在庶民，庶民中尊，令興福力。若在梵天，梵天中尊，誨以勝慧。若在帝釋，帝釋中尊，示現無常。若在護世，護世中尊，護諸眾生。

長者維摩詰以如是等無量方便饒益眾生，其以方便現身有疾，以其疾故，國王、大臣、長者、居士、婆羅門等，及諸王子并餘官屬，無數千人皆往問疾。其往者，維摩詰因以身疾廣為說法：「諸仁者！是身無常、無強、無力、無堅，速朽之法不可信也！為苦為惱眾病所集。諸仁者！如此身，明智者所不怙。是身如聚沫，不可撮摩。是身如泡，不得久立。是身如炎，從渴愛生。是身如芭蕉，中無有堅。是身如幻，從顛倒起。是身如夢，為虛妄見。是身如影，從業緣現。是身如響，屬諸因緣。是身如浮雲，須臾變滅。是身如電，念念不住。是身無主為如地，是身無我為如火，是身無壽為如風，是身無人為如水。是身不實，四大為家。是身為空，離我、我所。是身無知，如草木瓦礫。是身無作，風力所轉。是身不淨，穢惡充滿。是身為虛偽，雖假以澡浴衣食，必歸磨滅。是身為災，百一病惱。是身如丘井，為老所逼。是身無定，為要當死。是身如毒蛇、如怨賊、如空聚，陰界諸入所共合成。

「諸仁者！此可患厭，當樂佛身。所以者何？佛身者即法身也！從無量功德智慧生，從戒、定、慧、解脫、解脫知見生，從慈、悲、喜、捨生，從布施、持戒、忍辱柔和、勤行精進、禪定、解脫三昧、多聞智慧諸波羅蜜生，從方便生，從六通生，從三明生，從三十七道品生，從止觀生，從十力、四無所畏、十八不共法生，從斷一切不善法、集一切善法生，從真實生，從不放逸生，從如是無量清淨法生如來身。諸仁者！欲得佛身斷一切眾生病者，當發阿耨多羅三藐三菩提心。」

如是長者維摩詰為諸問疾者如應說法，令無數千人皆發阿耨多羅三藐三菩提心。

維摩詰所說經弟子品第三

爾時，長者維摩詰自念：「寢疾于床，世尊大慈寧不垂愍？」

佛知其意，即告舍利弗：「汝行詣維摩詰問疾。」

舍利弗白佛言：「世尊！我不堪任詣彼問疾。所以者何？憶念我昔曾於林中宴坐樹下；時維摩詰來謂我言：『唯！舍利弗！不必是坐為宴坐也！夫宴坐者，不於三界現身意，是為宴坐。不起滅定而現諸威儀，是為宴坐。不捨道法而現凡夫事，是為宴坐。心不住內亦不在外，是為宴坐。於諸見不動而修行三十七品，是為宴坐。不斷煩惱而入涅槃，是為宴坐。若能如是坐者，佛所印可。』時我，世尊！聞說是語默然而止，不能加報，故我不任詣彼問疾。」

佛告大目犍連：「汝行詣維摩詰問疾。」

目連白佛言：「世尊！我不堪任詣彼問疾。所以者何？憶念我昔入毘耶離大城，於里巷中為諸居士說法。時維摩詰來謂我言：『唯！大目連！為白衣居士說法不當如仁者所說。夫說法者當如法說：法無眾生，離眾生垢故；法無有我，離我垢故；法無壽命，離生死故；法無有人，前後際斷故；法常寂然，滅諸相故；法離於相，無所緣故；法無名字，言語斷故；法無有說，離覺觀故；法無形相，如虛空故；法無戲論，畢竟空故；法無我所，離我所故；法無分別，離諸識故；

法無有比，無相待故；法不屬因，不在緣故；法同法性，入諸法故；法隨於如，無所隨故；法住實際，諸邊不動故；法無動搖，不依六塵故；法無去來，常不住故。法順空，隨無相，應無作。法離好醜，法無增損，法無生滅，法無所歸，法過眼、耳、鼻、舌、身、心，法無高下，法常住不動，法離一切觀行。唯！大目連！法相如是豈可說乎？夫說法者無說無示，其聽法者無聞無得，譬如幻士為幻人說法，當建是意而為說法。當了眾生根有利鈍，善於知見無所罣礙，以大悲心讚于大乘，念報佛恩不斷三寶，然後說法。』維摩詰說是法時，八百居士發阿耨多羅三藐三菩提心。我無此辯，是故不任詣彼問疾。」

佛告大迦葉：「汝行詣維摩詰問疾。」

迦葉白佛言：「世尊！我不堪任詣彼問疾。所以者何？憶念我昔於貧里而行乞。時維摩詰來謂我言：『唯！大迦葉！有慈悲心而不能普，捨豪富從貧乞。迦葉！住平等法，應次行乞食；為不食故，應行乞食；為壞和合相故，應取*摶食；為不受故，應受彼食。以空聚想入於聚落，所見色與盲等，所聞聲與響等，所嗅香與風等，所食味不分別，受諸觸如智證，知諸法如幻相，無自性，無他性，本自不然，今則無滅。迦葉！若能不捨八邪，入八解脫，以邪相入正法，以一食施一切，供養諸佛及衆賢聖，然後可食。如是食者非有煩惱、非離煩惱，非入定意，非起定意，非住世間，非住涅槃；其有施者無大福、無小福，不為益、不為損。是為正入佛道，不依聲聞。迦葉！若如是食，為不空食人之施也！』

「時我，世尊！聞說是語得未曾有，即於一切菩薩深起敬心。復作是念：『斯有家名，辯才智慧乃能如是，其誰聞此不發阿耨多羅三藐三菩提心？』我從是來不復勸人以聲聞、辟支佛行。是故不任詣彼問疾。」

佛告須菩提：「汝行詣維摩詰問疾。」

須菩提白佛言：「世尊！我不堪任詣彼問疾。所以者何？憶念我昔入其舍從乞食；時維摩詰取我鉢盛滿飯，謂我言：『唯！須菩提！若能於食等者諸法亦等，諸法等者於食亦等，如是行乞乃可取食。若須菩提不斷婬、怒、癡，亦不與俱；不壞於身，而隨一相；不滅癡愛，起於明脫；以五逆相，而得解脫，亦不解不縛；不見四諦非不見諦，非得果非不得果，非凡夫非離凡夫法，非聖人非不聖人；雖成就一切法，而離諸法相，乃可取食。若須菩提不見佛、不聞法，彼外道六師：富蘭那迦葉、末伽梨拘賒梨子、刪闍夜毘羅胝子、阿耆多翅舍欽婆羅、迦羅鳩馱迦旃延、尼犍陀若提子等，是汝之師，因其出家，彼師所墮，汝亦隨墮，乃可取食。若須菩提入諸邪見不到彼岸，住於八難不得無難，同於煩惱離清淨法；汝得無諍三昧，一切衆生亦得是定。其施汝者不名福田，供養汝者墮三惡道，為與衆魔共一手作諸勞侶，汝與衆魔及諸塵勞等無有異；於一切衆生而有怨心，謗諸佛、毀於法、不入衆數，終不得滅度。汝若如是，乃可取食。』

「時我，世尊！聞此語茫然不識是何言，不知以何答，便置鉢欲出其舍；維摩詰言：『唯！須菩提！取鉢勿懼。於意云何？如來所作化人，若以是事詰，寧有懼不？』我言：『不也！』維摩詰言：『一切諸法如幻化相，汝今不應有所懼也！所以者何？一切言說不離是相，至於智者，不著文字故無所懼。何以故？文字性離，無有文字，是則解脫，解脫相者則諸法也！』維摩詰說是法時，二百天子得法眼淨。故我不任詣彼問疾。」

佛告富樓那彌多羅尼子：「汝行詣維摩詰問疾。」

富樓那白佛言：「世尊！我不堪任詣彼問疾。所以者何！憶念我昔於大林中在一樹下，為諸新學比丘說法：，時維摩詰來謂我言：『唯！富樓那！先當入定觀此人心，然後說法，無以穢食置於寶器：，當知是比丘心之所念，無以琉璃同彼水精。汝不能知衆生根源，無得發起以小乘法，彼自無瘡勿傷之也！欲行大道莫示小徑，無以大海內於牛跡，無以日光等彼螢火。富樓那！此比丘久發大乘心，中忘此意，如何以小乘法而教導之？我觀小乘智慧微淺，猶如盲人，不能分別一切衆生根之利鈍。』

「時維摩詰即入三昧，令此比丘自識宿命，曾於五百佛所植衆德本，迴向阿耨多羅三藐三菩提，即時豁然還得本心，於是諸比丘稽首禮維摩詰足。時維摩詰因為說法，於阿耨多羅三藐三菩提不復退轉。我念聲聞不觀人根，不應說法，是故不任詣彼問疾。」

佛告摩訶迦旃延：「汝行詣維摩詰問疾。」

迦旃延白佛言：「世尊！我不堪任詣彼問疾。所以者何？憶念昔者佛為諸比丘略說法要，我即於後敷演其義，謂無常義、苦義、空義、無我義、寂滅義。時維摩詰來謂我言：『唯！迦旃延！無以生滅心行說實相法。迦旃延！諸法畢竟不生不滅，是無常義；五受陰洞達空無所起，是苦義；諸法究竟無所有，是空義；於我、無我而不二，是無我義；法本不然今則無滅，是寂滅義。』說是法時，彼諸比丘心得解脫。故我不任詣彼問疾。」

佛告阿那律：「汝行詣維摩詰問疾。」

阿那律白佛言：「世尊！我不堪任詣彼問疾。所以者何？憶念我昔於一處經行，時有梵王名曰嚴淨，與萬梵俱放淨光明來詣我所，稽首作禮問我言：『幾何阿那律天眼所見？』我即答言：『仁者！吾見此釋迦牟尼佛土三千大千世界，如觀掌中菴摩勒果。』時維摩詰來謂我言：『唯！阿那律！天眼所見為作相耶？無作相耶？假使作相則與外道五通等，若無作相即是無為不應有見。』

「世尊！我時默然。彼諸梵聞其言得未曾有，即為作禮而問曰：『世孰有真天眼者？』維摩詰言：『有佛世尊得真天眼，常在三昧，悉見諸佛國不以二相。』

「於是嚴淨梵王及其眷屬五百梵天，皆發阿耨多羅三藐三菩提心，禮維摩詰足已忽然不現。故我不任詣彼問疾。」

佛告優波離：「汝行詣維摩詰問疾。」

優波離白佛言：「世尊！我不堪任詣彼問疾。所以者何？憶念昔者有二比丘犯律行以為恥，不敢問佛，來問我言：『唯！優波離！我等犯律誠以為恥，不敢問佛，願解疑悔，得免斯咎。』我即為其如法解說。時維摩詰來謂我言：『唯！優波離！無重增此二比丘罪，當直除滅，勿擾其心。所以者何？彼罪性不在內、不在外、不在中間，如佛所說：心垢故眾生垢，心淨故眾生淨。心亦不在內、不在外、不在中間，如其心然，罪垢亦然，諸法亦然，不出於如；如優波離以心相得解脫時，寧有垢不？』我言：『不也！』維摩詰言：『一切眾生心相無垢亦復如是。唯！優波離！妄想是垢，無妄想是淨；顛倒是垢，無顛倒是淨；取我是垢，不取我是淨。優波離！一切法生滅不住，如幻如電，諸法不相待，乃至一念不住；諸法皆妄見，如夢、如炎、如水中月、如鏡中像，以妄想生。其知此者是名奉律，其知此者是名善解。』

「於是二比丘言：『上智哉！是優波離所不能及，持律之上而不能說。』我即答言：『自捨如來，未有聲聞及菩薩能制其樂說之辯，其智慧明達為若此也！』

「時二比丘疑悔即除，發阿耨多羅三藐三菩提心，作是願言：『令一切眾生皆得是辯。』故我不任詣彼問疾。」

佛告羅睺羅：「汝行詣維摩詰問疾。」

羅睺羅白佛言：「世尊！我不堪任詣彼問疾。所以者何？憶念昔時毘耶離諸長者子來詣我所，稽首作禮問我言：『唯！羅睺羅！汝佛之子，捨轉輪王位出家為道，其出家者有何等利？』我即如法為說出家功德之利。時維摩詰來謂我言：『唯！羅睺羅。不應說出家功德之利。所以者何？無利無功德是為出家，有為法者可說有利有功德；夫出家者為無為法，無為法中無利無功德。羅睺羅！出家者無彼無此，亦無中間，離六十二見處於涅槃；智者所受聖所行處，降伏衆魔，度五道，淨五眼，得五力，立五根；不惱於彼，離衆雜惡摧諸外道，超越假名。出淤泥，無繫著，無我所，無所受，無擾亂，內懷喜，護彼意，隨禪定離衆過。若能如是，是真出家。』

「於是維摩詰語諸長者子：『汝等於正法中宜共出家。所以者何？佛世難值。』諸長者子言：『居士！我聞佛言：父母不聽不得出家』。維摩詰言：『然汝等便發阿耨多羅三藐三菩提心，是即出家，是即具足。』

「爾時，三十二長者子皆發阿耨多羅三藐三菩提心。故我不任詣彼問疾。」

佛告阿難：「汝行詣維摩詰問疾。」

阿難白佛言：「世尊！我不堪任詣彼問疾。所以者何？憶念昔時世尊身小有疾，當用牛乳，我即持鉢詣大婆羅門家門下立。時，維摩詰來謂我言：『唯！阿難！何為晨朝持鉢住此？』我言：『居士！世尊身小有疾當用牛乳，故來至此。』維摩詰言：『止！止！阿難！莫作是語，如來身者金剛之體，諸惡已斷，衆善普會，當有何疾？當有何惱？默往！阿難！勿謗如來，莫使異人聞此麁言，無令大威德諸天及他方淨土諸來菩薩得聞斯語。阿難！轉輪聖王以少福故尚得無病，豈況如來無量福會普勝者哉！行矣！阿難！勿使我等受斯恥也！外道梵志若聞此語當作是念：「何名為師，自疾不能救而能救諸疾？」仁可密速去，勿使人聞。當知阿難！諸如來身即是法身，非思欲身，佛為世尊，過於三界，佛身無漏，諸漏已盡，佛身無為，不墮諸數，如此之身當有何疾？當有何惱？』時我，世尊！實懷慚愧，得無近佛而謬聽耶？即聞空中聲曰：『阿難！如居士言，但為佛出五濁惡世，現行斯法度脫眾生。行矣！阿難！取乳勿慚。』世尊！維摩詰智慧辯才為若此也！是故不任詣彼問疾。」

如是五百大弟子，各各向佛說其本緣，稱述維摩詰所言，皆曰不任詣彼問疾。

維摩詰所說經菩薩品第四

於是佛告彌勒菩薩：「汝行詣維摩詰問疾。」

彌勒白佛言：「世尊！我不堪任詣彼問疾。所以者何？憶念我昔為兜率天王及其眷屬說不退轉地之行。時維摩詰來謂我言：『彌勒！世尊授仁者記，一生當得阿耨多羅三藐三菩提，為用何生得受記乎？過去耶？未來耶？現在耶？若過去生，過去生已滅，若未來生，未來生未至，若現在生，現在生無住。如佛所說：「比丘汝今即時亦生、亦老、亦滅。」若以無生得受記者，無生即是正位，於正位中亦無受記，亦無得阿耨多羅三藐三菩提。云何彌勒受一生記乎？為從如生得受記耶？為從如滅得受記耶？若以如生得受記者，如無有生；若以如滅得受記者，如無有滅。一切眾生皆如也！一切法亦如也！眾聖賢亦如也！至於彌勒亦如也！若彌勒得受記者，一切眾生亦應受記。所以者何？夫如者，不二不異。若彌勒得阿耨多羅三藐三菩提者，一切眾生皆亦應得。所以者何？一切眾生即菩提相。若彌勒得滅度者，一切眾生亦應滅度。所以者何？諸佛知一切眾生畢竟寂滅，即涅槃相不復更滅。是故，彌勒！無以此法誘諸天子，實無發阿耨多羅三藐三菩提心者，亦無退者。彌勒！當令此諸天子捨於分別菩提之見。所以者何？菩提者，不可以身得，不可以心得。寂滅是菩提，滅諸相故；不觀是菩提，離諸緣故；不行是菩提，無憶念故；斷是菩提，捨諸見故；離是菩提，離諸妄想故；障是菩提，障諸願故；不入是菩提，無貪著故；順是菩提，順於如故；住是菩提，住法性故；至是菩提，至實際故；不二是菩提，離意法故；等是菩提，等虛空故；無為是菩提，無生住滅故；知是菩提，了眾生心行故；不會是菩提，諸入不會故；不合是菩提，離煩惱習故；無處是菩提，無形色故；假名是菩提，名字空故；如化是菩提，無取捨故；無亂是菩提，常自靜故；善寂是菩提，性清淨故；無取是菩提，離攀緣故；無異是菩提，諸法等故；無比是菩提，無可喻故；微妙是菩提，諸法難知故。』

「世尊！維摩詰說是法時，二百天子得無生法忍。故我不任詣彼問疾。」

佛告光嚴童子：「汝行詣維摩詰問疾。」

光嚴白佛言：「世尊！我不堪任詣彼問疾。所以者何？憶念我昔出毘耶離大城；時維摩詰方入城，我即為作禮而問言：『居士從何所來？』答我言：『吾從道場來。』我問：『道場者何所是？』答曰：『直心是道場，無虛假故；發行是道場，能辦事故；深心是道場，增益功德故；菩提心是道場，無錯謬故，布施是道場，不望報故；持戒是道場，得願具故；忍辱是道場，於諸衆生心無礙故；精進是道場，不懈*怠故；禪定是道場，心調柔故；智慧是道場，現見諸法故；慈是道場，等衆生故；悲是道場，忍疲苦故；喜是道場，悅樂法故；捨是道場，憎愛斷故；神通是道場，成就六通故；解脫是道場，能背捨故；方便是道場，教化衆生故；四攝是道場，攝衆生故；多聞是道場，如聞行故；伏心是道場，正觀諸法故；三十七品是道場，捨有為法故；諦是道場，不誑世間故；緣起是道場，無明乃至老死皆無盡故；諸煩惱是道場，知如實故；衆生是道場，知無我故；一切法是道場，知諸法空故；降*魔是道場，不傾動故；三界是道場，無所趣故；師子吼是道場，無所畏故；力、無畏、不共法是道場，無諸過故；三明是道場，無餘礙故；一念知一切法是道場，成就一切智故。如是，善男子！菩薩若應諸波羅蜜教化衆生，諸有所作舉足下足，當知皆從道場來住於佛法矣！』

名無盡燈，汝等當學。無盡燈者，譬如一燈燃百千燈，冥者皆明，明終不盡。如是，諸姊！夫一菩薩開導百千衆生，令發阿耨多羅三藐三菩提心，於其道意亦不滅盡，隨所說法而自增益一切善法，是名無盡燈也！汝等雖住魔宮，以是無盡燈，令無數天子天女發阿耨多羅三藐三菩提心者，為報佛恩，亦大饒益一切衆生。』

「爾時，天女頭面禮維摩詰足，隨魔還宮忽然不現。世尊！維摩詰有如是自在神力智慧辯才，故我不任詣彼問疾。」

佛告長者子善德：「汝行詣維摩詰問疾。」

善德白佛言：「世尊！我不堪任詣彼問疾。所以者何？憶念我昔自於父舍設大施會，供養一切沙門、婆羅門及諸外道、貧窮下賤、孤獨乞人，期滿七日。時維摩詰來入會中謂我言：『長者子！夫大施會不當如汝所設，當為法施之會，何用是財施會為？』我言：『居士！何謂法施之會？』答曰：『法施會者，無前無後，一時供養一切衆生，是名法施之會。』曰：『何謂也？』『謂以菩提起於慈心，以救衆生起大悲心，以持正法起於喜心，以攝智慧行於捨心，以攝慳貪起檀波羅蜜，以化犯戒起尸羅波羅蜜，以無我法起羼提波羅蜜，以離身心相起毘梨耶波羅蜜，以菩提相起禪波羅蜜，以一切智起般若波羅蜜，教化衆生而起於空，不捨有為法而起無相，示現受生而起無作，護持正法起方便力，以度衆生起四攝法，以敬事一切起除慢法，於身命財起三堅法，於六念中起思念法，於六和敬起質直心，正行善法起於淨命，心淨歡喜起近賢聖，不憎惡人起調伏心，以出家法起於深心，以如說行起於多聞，以無諍法起空閑處，趣向佛慧起於宴坐，解衆生縛起修行地，以具相好及淨佛土起福德業，知一切衆生心念如應說法起於智業，知一切法不取不捨入一相門起於慧業，斷一切煩惱、一切障礙、一切不善法起一切善業，以得一切智慧、一切善法起於一切助佛道法。如是，善男子！是為法施之會。若菩薩住是法施會者，為大施主，亦為一切世間福田。』

「世尊！維摩詰說是法時，婆羅門衆中二百人皆發阿耨多羅三藐三菩提心，我時心得清淨歎未曾有，稽首禮維摩詰足，即解瓔珞價直百千以上之，不肯取；我言：『居士！願必納受隨意所與。』維摩詰乃受瓔珞，分作二分，持一分施此會中一最下乞人，持一分奉彼難勝如來。一切衆會皆見光明國土難勝如來，又見珠瓔在彼佛上變成四柱寶臺，四面嚴飾不相障蔽。時維摩詰現神變已作是言：『若施主等心施一最下乞人，猶如如來福田之相無所分別，等于大悲不求果報，是則名曰具足法施。』

「城中一最下乞人，見是神力聞其所說，皆發阿耨多羅三藐三菩提心。故我不任詣彼問疾。」

如是諸菩薩各各向佛說其本緣，稱述維摩詰所言，皆曰不任詣彼問疾。

維摩詰⊙所說☆經卷上

維摩詰所說經卷中

姚秦三藏鳩摩羅什譯

文殊師利問疾品第五

爾時，佛告文殊師利：「汝行詣維摩詰問疾。」

文殊師利白佛言：「世尊！彼上人者難為詶對，深達實相善說法要，辯才無滯智慧無礙，一切菩薩法式悉知，諸佛秘藏無不得入，降伏衆魔遊戲神通，其慧方便皆已得度。雖然，當承佛聖旨詣彼問疾。」

於是衆中諸菩薩大弟子、釋梵四天王等咸作是念：「今二大士文殊師利、維摩詰共談，必說妙法。」即時八千菩薩、五百聲聞、百千天人皆欲隨從。於是文殊師利與諸菩薩大弟子眾，及諸天人恭敬圍繞入毘耶離大城。

爾時，長者維摩詰心念：「今文殊師利與大眾俱來。」即以神力空其室內，除去所有及諸侍者，唯置一床，以疾而臥。

文殊師利既入其舍，見其室空無諸所有，獨寢一床。時維摩詰言：「善來！文殊師利！不來相而來，不見相而見。」

文殊師利言：「如是！居士！若來已更不來，若去已更不去。所以者何？來者無所從來，去者無所至，所可見者更不可見。且置是事，居士！是疾寧可忍不？療治有損不至增乎？世尊慇懃致問無量。居士！是疾何所因起？其生久如？當云何滅？」

維摩詰言：「從癡有愛則我病生，以一切眾生病是故我病，若一切眾生病滅則我病滅。所以者何？菩薩為眾生故入生死，有生死則有病，若眾生得離病者，則菩薩無復病。譬如長者唯有一子，其子得病父母亦病，若子病愈父母亦愈。菩薩如是，於諸眾生愛之若子，眾生病則菩薩病，眾生病愈菩薩亦愈。」

又言：「是疾何所因起？」
「菩薩病者以大悲起。」
文殊師利言：「居士！此室何以空無侍者？」
維摩詰言：「諸佛國土亦復皆空。」
又問：「以何為空？」
答曰：「以空空。」
又問：「空何用空？」
答曰：「以無分別空故空。」
又問：「空可分別耶？」
答曰：「分別亦空。」
又問：「空當於何求？」
答曰：「當於六十二見中求。」
又問：「六十二見當於何求？」

謂我等、涅槃等。所以者何？我及涅槃此二皆空。以何為空？但以名字故空。如此二法無決定性，得是平等無有餘病，唯有空病，空病亦空。是有疾菩薩以無所受而受諸受，未具佛法亦不滅受而取證也！

「設身有苦，念惡趣衆生起大悲心：『我既調伏，亦當調伏一切衆生。』但除其病而不除法，為斷病本而教導之。何謂病本？謂有攀緣；從有攀緣則為病本。何所攀緣？謂之三界。云何斷攀緣？以無所得；若無所得則無攀緣。何謂無所得？謂離二見。何謂二見？謂內見、外見是無所得。文殊師利！是為有疾菩薩調伏其心，為斷老病死苦是菩薩菩提；若不如是，已所修治，為無慧利。譬如勝怨乃可為勇，如是兼除老病死者，菩薩之謂也！

「彼有疾菩薩應復作是念：『如我此病非真非有，衆生病亦非真非有。』作是觀時，於諸衆生若起愛見大悲，即應捨離。所以者何？菩薩斷除客塵煩惱而起大悲，愛見悲者則於生死有疲厭心。若能離此無有疲厭，在在所生不為愛見之所覆也！所生無縛，能為衆生說法解縛。如佛所說：『若自有縛，能解彼縛，無有是處；若自無縛，能解彼縛，斯有是處。』是故菩薩不應起縛。

「何謂縛？何謂解？貪著禪味是菩薩縛，以方便生是菩薩解。又無方便慧縛，有方便慧解；無慧方便縛，有慧方便解。何謂無方便慧縛？謂菩薩以愛見心莊嚴佛土成就眾生，於空、無相、無作法中而自調伏，是名無方便慧縛。何謂有方便慧解？謂不以愛見心莊嚴佛土成就眾生，於空、無相、無作法中以自調伏而不疲厭，是名有方便慧解。何謂無慧方便縛？謂菩薩住貪欲、瞋恚、邪見等諸煩惱而植眾德本，是名無慧方便縛。何謂有慧方便解？謂離諸貪欲、瞋恚、邪見等諸煩惱而植眾德本，迴向阿耨多羅三藐三菩提，是名有慧方便解。文殊師利！彼有疾菩薩應如是觀諸法，又復觀身無常、苦、空、非我，是名為慧。雖身有疾，常在生死，饒益一切而不厭倦，是名方便。又復觀身，身不離病，病不離身，是病是身，非新非故，是名為慧。設身有疾而不永滅，是名方便。

「文殊師利！有疾菩薩應如是調伏其心不住其中，亦復不住不調伏心。所以者何？若住不調伏心是愚人法，若住調伏心是聲聞法。是故菩薩不當住於調伏、者，以須彌之高廣內芥子中無所增減；須彌山王本相如故，而四天王、忉利諸天，不覺不知己之所入，唯應度者乃見須彌入芥子中，是名*不可☆思議解脫法門。又以四大海水入一毛孔，不嬈魚鱉、黿鼉水性之屬，而彼大海本相如故，諸龍、鬼神、阿修羅等不覺不知己之所入，於此眾生亦無所嬈。

「又，舍利弗！住不可思議解脫菩薩，斷取三千大千世界，如陶家輪著右掌中，擲過恒河沙世界之外，其中眾生不覺不知己之所往；又復還置本處，都不使人有往來想，而此世界本相如故。

「又，舍利弗！或有眾生樂久住世而可度者，菩薩即延七日以為一劫，令彼眾生謂之一劫；或有眾生不樂久住而可度者，菩薩即促一劫以為七日，令彼眾生謂之七日。

「又，舍利弗！住不可思議解脫菩薩，以一切佛土嚴飾之事，集在一國示於眾生；又菩薩以一佛土眾生置之右掌，飛到十方遍示一切，而不動本處。

「又，舍利弗！十方眾生供養諸佛之具，菩薩於一毛孔皆令得見。又十方國土所有日月星宿，於一毛孔普使見之。

「又，舍利弗！十方世界所有諸風，菩薩悉能吸著口中而身無損，外諸樹木亦不摧折；又十方世界劫盡燒時，以一切火內於腹中，火事如故而不為害。又於下方過恒河沙等諸佛世界，取一佛土舉著上方，過恒河沙無數世界，如持鍼鋒舉一棗葉而無所嬈。

「又，舍利佛！住不可思議解脫菩薩，能以神通現作佛身，或現辟支佛身，或現聲聞身，或現帝釋身，或現梵王身，或現世主身，或現轉輪王身。又十方世界所有衆聲，上中下音皆能變之令作佛聲，演出無常、苦、空、無我之音，及十方諸佛所說種種之法，皆於其中，普令得聞。

「舍利弗！我今略說菩薩不可思議解脫之力，若廣說者窮劫不盡。」

是時，大迦葉聞說菩薩不可思議解脫法門，歎未曾有，謂舍利弗：「譬如有人於盲者前現衆色像，非彼所見；一切聲聞聞是不可思議解脫法門，不能解了為若此也！智者聞是，其誰不發阿耨多羅三藐三菩提心？我等何為永絕其根，於此大乘已如敗種。一切聲聞聞是不可思議解脫法門，皆應號泣聲震三千大千世界；一切菩薩應大欣慶頂受此法。若有菩薩信解不可思議解脫法門者，一切魔衆無如之何。」大迦葉說是語時，三萬二千天子皆發阿耨多羅三藐三菩提心。

爾時，維摩詰語大迦葉：「仁者！十方無量阿僧祇世界中作魔王者，多是住不可思議解脫菩薩，以方便力教化衆生現作魔王。又迦葉！十方無量菩薩，或有人從乞手足、耳鼻、頭目、髓腦、血肉、皮骨、聚落、城邑、妻子、奴婢、象馬、車乘、金銀、琉璃、車磲、馬碯、珊瑚、琥珀、真珠、珂貝、衣服、飲食，如此乞者多是住不可思議解脫菩薩，以方便力而往試之令其堅固。所以者何？住不可思議解脫菩薩，有威德力故現行逼迫，示諸衆生如是難事，凡夫下劣無有力勢，不能如是逼迫菩薩；譬如龍象蹴踏非驢所堪。是名住不可思議解脫菩薩智慧方便之門。」

維摩詰所說經觀衆生品第七

爾時，文殊師利問維摩詰言：「菩薩云何觀於眾生？」

維摩詰言：「譬如幻師見所幻人。菩薩觀眾生為若此，如智者見水中月、如鏡中見其面像、如熱時焰、如呼聲響、如空中雲、如水聚沫、如水上泡、如芭蕉堅、如電久住、如第五大、如第六陰、如第七情、如十三入、如十九界，菩薩觀眾生為若此。如無色界色、如焦穀*芽、如須陀洹身見、如阿那含入胎、如阿羅漢三毒、如得忍菩薩貪恚毀禁、如佛煩惱習、如盲者見色、如入滅盡定出入息、如空中鳥跡、如石女兒、如化人起煩惱、如夢所見已寤、如滅度者受身、如無烟之火，菩薩觀眾生為若此。」

文殊師利言：「若菩薩作是觀者，云何行慈？」

維摩詰言：「菩薩作是觀已，自念：『我當為眾生說如斯法。』是即真實慈也！行寂滅慈，無所生故；行不熱慈，無煩惱故；行等之慈，等三世故；行無諍慈，無所起故；行不二慈，內外不合故；行不壞慈，畢竟盡故；行堅固慈，心無毀故；行清淨慈，諸法性淨故；行無邊慈，如虛空故；行阿羅漢慈，破結賊故；

行菩薩慈，安衆生故；行如來慈，得如相故；行佛之慈，覺衆生故；行自然慈，無因得故；行菩提慈，等一味故；行無等慈，斷諸愛故；行大悲慈，導以大乘故；行無厭慈，觀空無我故；行法施慈，無遺惜故；行持戒慈，化毀禁故；行忍辱慈，護彼我故；行精進慈，荷負衆生故；行禪定慈，不受味故；行智慧慈，無不知時故；行方便慈，一切示現故；行無隱慈，直心清淨故；行深心慈，無雜行故；行無誑慈，不虛假故；行安樂慈，令得佛樂故。菩薩之慈為若此也！」

文殊師利又問：「何謂為悲？」

答曰：「菩薩所作功德，皆與一切衆生共之。」

「何謂為喜？」

答曰：「有所饒益歡喜無悔。」

「何謂為捨？」

答曰：「所作福祐無所悕望。」

文殊師利又問：「生死有畏，菩薩當何所依？」

維摩詰言：「菩薩於生死畏中，當依如來功德之力。」
文殊師利又問：「菩薩欲依如來功德之力，當於何住？」
答曰：「菩薩欲依如來功德力者，當住度脫一切眾生。」
又問：「欲度眾生當何所除？」
答曰：「欲度眾生除其煩惱。」
又問：「欲除煩惱當何所行？」
答曰：「當行正念。」
又問：「云何行於正念？」
答曰：「當行不生不滅。」
又問：「何法不生？何法不滅？」
答曰：「不善不生，善法不滅。」
又問：「善不善孰為本？」
答曰：「身為本。」

又問：「身孰為本？」
答曰：「欲貪為本。」
又問：「欲貪孰為本？」
答曰：「虛妄分別為本。」
又問：「虛妄分別孰為本？」
答曰：「顛倒想為本。」
又問：「顛倒想孰為本？」
答曰：「無住為本。」
又問：「無住孰為本？」
答曰：「無住則無本。文殊師利！從無住本立一切法。」
時維摩詰室有一天女，見諸大人聞所說法便現其身，即以天華散諸菩薩、大弟子上。華至諸菩薩即皆墮落，至大弟子便著不墮，一切弟子神力去華，不能令去。

爾時，天女問舍利弗：「何故去華？」

答曰：「此華不如法，是以去之。」

天曰：「勿謂此華為不如法。所以者何？是華無所分別，仁者自生分別想耳！若於佛法出家有所分別，為不如法；若無所分別，是則如法。觀諸菩薩華不著者，已斷一切分別想故。譬如人畏時，非人得其便，如是弟子畏生死故，色、聲、香、味、觸得其便也。已離畏者，一切五欲無能為也！結習未盡華著身耳，結習盡者華不著也！」

舍利弗言：「天止此室，其已久如？」

答曰：「我止此室如耆年解脫。」

舍利弗言：「止此久耶？」

天曰：「耆年解脫亦何如久？」

舍利弗默然不答。

天曰：「如何耆舊大智而默？」

答曰：「解脫者無所言說，故吾於是不知所云。」

天曰：「言說文字皆解脫相。所以者何？解脫者不內、不外、不在兩間，文字亦不內、不外、不在兩間。是故，舍利弗！無離文字說解脫也！所以者何？一切諸法是解脫相。」

舍利弗言：「不復以離婬、怒、癡為解脫乎？」

天曰：「佛為增上慢人說離婬、怒、癡為解脫耳！若無增上慢者，佛說婬、怒、癡性即是解脫。」

舍利弗言：「善哉！善哉！天女！汝何所得？以何為證？辯乃如是。」

天曰：「我無得無證故辯如是。所以者何？若有得有證者，即於佛法為增上慢。」

舍利弗問天：「汝於三乘為何志求？」

天曰：「以聲聞法化眾生故，我為聲聞；以因緣法化眾生故，我為辟支佛；以大悲法化眾生故，我為大乘。舍利弗！如人入瞻蔔林，唯嗅瞻蔔不嗅餘香；如是若入此室，但聞佛功德之香，不樂聞聲聞、辟支佛功德香也。舍利弗！其有釋、梵、四天王、諸天、龍鬼神等入此室者，聞斯上人講說正法，皆樂佛功德之香發心而出。舍利弗！吾止此室十有二年，初不聞說聲聞、辟支佛法，但聞菩薩大慈大悲不可思議諸佛之法。

「舍利弗！此室常現八未曾有難得之法。何等為八？此室常以金色光照晝夜無異，不以日月所照為明，是為一未曾有難得之法。此室入者不為諸垢之所惱也！是為二未曾有難得之法。此室常有釋、梵、四天王、他方菩薩來會不絕，是為三未曾有難得之法。此室常說六波羅蜜不退轉法，是為四未曾有難得之法。此室常作天人第一之樂，絃出無量法化之聲，是為五未曾有難得之法。此室有四大藏眾寶積滿，賙窮濟乏求得無盡，是為六未曾有難得之法。此室釋迦牟尼佛、阿彌陀佛、阿閦佛、寶德、寶炎、寶月、寶嚴、難勝、師子響、一切利成，如是等十方無量諸佛，是上人念時，即皆為來廣說諸佛秘要法藏，說已還去，是為七未曾有難得之法。此室一切諸天嚴飾宮殿、諸佛淨土皆於中現，是為八未曾有難得之法。舍利弗！此室常現八未曾有難得之法，誰有見斯不思議事，而復樂於聲聞法乎？」

舍利弗言：「汝何以不轉女身？」

天曰：「我從十二年來求女人相了不可得，當何所轉？譬如幻師化作幻女，若有人問：『何以不轉女身？』是人為正問不？」

舍利弗言：「不也！幻無定相，當何所轉。」

天曰：「一切諸法亦復如是無有定相，云何乃問不轉女身？」

即時天女以神通力，變舍利弗令如天女，天自化身如舍利弗，而問言：「何以不轉女身？」

舍利弗以天女像而答言：「我今不知何轉而變為女身。」

天曰：「舍利弗！若能轉此女身，則一切女人亦當能轉，如舍利弗非女而現女身，一切女人亦復如是，雖現女身而非女也！是故佛說一切諸法非男非女。」

即時天女還攝神力，舍利弗身還復如故。

天問：「舍利弗！女身色相今何所在？」

舍利弗言：「女身色相無在無不在。」

天曰：「一切諸法亦復如是，無在無不在。夫無在無不在者佛所說也！」

舍利弗問天：「汝於此沒當生何所？」

天曰：「佛化所生，吾如彼生。」

曰：「佛化所生非沒生也？」

天曰：「衆生猶然，無沒生也！」

舍利弗問天：「汝久如當得阿耨多羅三藐三菩提？」

天曰：「如舍利弗還為凡夫，我乃當成阿耨多羅三藐三菩提。」

舍利弗言：「我作凡夫，無有是處。」

天曰：「我得阿耨多羅三藐三菩提，亦無是處。所以者何？菩提無住處，是故無有得者。」

舍利弗言：「今諸佛得阿耨多羅三藐三菩提，已得當得，如恒河沙，皆謂何乎？」

天曰：「皆以世俗文字數，故說有三世，非謂菩提有去、來、今。」

天曰：「舍利弗！汝得阿羅漢道耶？」

曰：「無所得故而得。」

天曰：「諸佛菩薩亦復如是，無所得故而得。」

爾時，維摩詰語舍利弗：「是天女已曾供養九十二億⊙諸佛已，能遊戲菩薩神通，所願具足，得無生忍，住不退轉，以本願故隨意能現教化眾生。」

維摩詰所說經佛道品第八

爾時，文殊師利問維摩詰言：「菩薩云何通達佛道。」

維摩詰言：「若菩薩行於非道，是為通達佛道。」

又問：「云何菩薩行於非道？」

答曰：「若菩薩行五無間，而無惱恚∙，至于地獄，無諸罪垢∙，至于畜生，無有無明、憍慢等過；至于餓鬼，而具足功德；行色、無色界道，不以為勝；示行貪欲，離諸染著；示行瞋恚，於諸眾生無有恚閡；示行愚癡，而以智慧調伏其心；示行慳貪，而捨內外所有不惜身命；示行毀禁，而安住淨戒，乃至小罪猶懷大懼；示行瞋恚，而常慈忍；示行懈怠，而懃修功德；示行亂意，而常念定；示行愚癡，而通達世間出世間慧；示行諂偽，而善方便隨諸經義；示行憍慢，而於眾生猶如橋梁；示行諸煩惱，而心常清淨；示入於魔，而順佛智慧不隨他教；示入聲聞，而為眾生說未聞法；示入辟支佛，而成就大悲教化眾生；示入貧窮，而有寶手功德無盡；示入*形殘，而具諸相好以自莊嚴；示入下賤，而生佛種姓中具諸功德；示入羸劣醜陋，而得那羅延身，一切眾生之所樂見；示入老病，而永斷病根超越死畏；示有資生，而恒觀無常，實無所貪；示有妻妾采女，而常遠離五欲淤泥；現於訥鈍，而成就辯才總持無失；示入邪濟，而以正濟度諸眾生；現遍入諸道，而斷其因緣；現於涅槃，而不斷生死。文殊師利！菩薩能如是行於非道，是為通達佛道。」

於是維摩詰問文殊師利：「何等為如來種？」

文殊師利言：「有身為種，無明有愛為種，貪恚癡為種，四顛倒為種，五蓋為種，六入為種，七識處為種，八邪法為種，九惱處為種，十不善道為種；以要言之，六十二見及一切煩惱皆是佛種。」

曰：「何謂也？」

答曰：「若見無為入正位者，不能復發阿耨多羅三藐三菩提心；譬如高原陸地不生蓮華，卑濕淤泥乃生此華。如是見無為法入正位者，終不復能生於佛法，煩惱泥中乃有眾生起佛法耳！又如殖種於空，終不得生，糞壤之地乃能滋茂。如是入無為正位者，不生佛法；起於我見如須彌山，猶能發于阿耨多羅三藐三菩提心生佛法矣！是故，當知一切煩惱為如來種，譬如不下巨海，不能得無價寶珠；如是不入煩惱大海，則不能得一切智寶。」

爾時，大迦葉歎言：「善哉！善哉！文殊師利快說此語！誠如所言，塵勞之疇為如來種，我等今者不復堪任發阿耨多羅三藐三菩提心。乃至五無間罪，猶能發意生於佛法，而今我等永不能發。譬如根敗之士，其於五欲不能復利；如是聲聞諸結斷者，於佛法中無所復益，永不志願。是故，文殊師利！凡夫於佛法有返復，而聲聞無也！所以者何？凡夫聞佛法能起無上道心，不斷三寶；正使聲聞終身聞佛法力無畏等，永不能發無上道意。」

爾時，會中有菩薩名普現色身，問維摩詰言：「居士！父母、妻子、親戚、眷屬、吏民、知識，悉為是誰？奴婢僮僕、象馬車乘，皆何所在？」

於是維摩詰以偈答曰：

智度菩薩母，　方便以為父，　一切衆導師，　無不由是生。
法喜以為妻，　慈悲心為女，　善心誠實男，　畢竟空寂舍。
弟子衆塵勞，　隨意之所轉，　道品善知識，　由是成正覺。
諸度法等侶，　四攝為伎女，　歌詠誦法言，　以此為音樂。
總持之園苑，　無漏法林樹，　覺意淨妙華，　解脫智慧果，
八解之浴池，　定水湛然滿，　布以七淨華，　浴此無垢人。

象馬五通馳，大乘以為車，調御以一心，遊於八正路，
相具以嚴容，眾好飾其姿，慚愧之上服，深心為華鬘。
富有七財寶，教授以滋息，如所說修行，迴向為大利。
四禪為床座，從於淨命生，多聞增智慧，以為自覺音。
甘露法之食，解脫味為漿，淨心以澡浴，戒品為塗香。
摧滅煩惱賊，勇健無能踰，降伏四種魔，勝幡建道場。
雖知無起滅，示彼故有生，悉現諸國土，如日無不見。
供養於十方，無量億如來，諸佛及己身，無有分別想，
雖知諸佛國，及與眾生空，而常修淨土，教化於群生。
諸有眾生類，形聲及威儀，無畏力菩薩，一時能盡現，
覺知眾魔事，而示隨其行，以善方便智，隨意皆能現。
或示老病死，成就諸群生，了知如幻化，通達無有礙。
或現劫盡燒，天地皆洞然，眾人有常想，照令知無常。

無數億衆生，俱來請菩薩，一時到其舍，化令向佛道。
經書禁呪術，工巧諸伎藝，盡現行此事，饒益諸群生，
世間衆道法，悉於中出家，因以解人惑，而不墮邪見。
或作日月天，梵王世界主，或時作地水，或復作風火，
劫中有疾疫，現作諸藥草，若有服之者，除病消衆毒。
劫中有飢饉，現身作飲食，先救彼飢渴，却以法語人。
劫中有刀兵，為之起慈心，化彼諸衆生，令住無諍地。
若有大戰陣，立之以等力，菩薩現威勢，降伏使和安。
一切國土中，諸有地獄處，輒往到于彼，勉濟其苦惱。
一切國土中，畜生相食噉，皆現生於彼，為之作利益。
示受於五欲，亦復現行禪，令魔心憒亂，不能得其便。
火中生蓮華，是可謂希有，在欲而行禪，希有亦如是。
或現作婬女，引諸好色者，先以欲鉤牽，後令入佛道。

或為邑中主，或作商人導，國師及大臣，以祐利衆生。
諸有貧窮者，現作無盡藏，因以勸導之，令發菩提心。
我心憍慢者，為現大力士，消伏諸貢高，令住無上道。
其有恐懼衆，居前而慰安，先施以無畏，後令發道心。
或現離婬欲，為五通仙人，開導諸群生，令住戒忍慈。
見須供事者，現為作僮僕，既悅可其意，乃發以道心。
隨彼之所須，得入於佛道，以善方便力，皆能給足之，
如是道無量，所行無有涯，智慧無邊際，度脫無數衆。
假令一切佛，於無量億劫，讚歎其功德，猶尚不能盡，
誰聞如是法，不發菩提心，除彼不肖人，癡冥無智者。

維摩詰所說經入不二法門品第九

爾時，維摩詰謂衆菩薩言：「諸仁者！云何菩薩*入不二法門？各隨所樂說

之。」

會中有菩薩名法自在，說言：「諸仁者！生滅為二，法本不生，今則無滅。得此無生法忍，是為入不二法門。」

德守菩薩曰：「我、我所為二，因有我故便有我所，若無有我則無我所，是為入不二法門。」

不眴菩薩曰：「受、不受為二，若法不受則不可得，以不可得故無取、無捨、無作、無行，是為入不二法門。」

德頂菩薩曰：「垢、淨為二，見垢實性則無淨相，順於滅相，是為入不二法門。」

善宿菩薩曰：「是動、是念為二，不動則無念，無念則無分別。通達此者，是為入不二法門。」

善眼菩薩曰：「一相、無相為二，若知一相即是無相，亦不取無相，入於平等，是為入不二法門。」

妙臂菩薩曰：「菩薩心、聲聞心為二，觀心相空如幻化者，無菩薩心，無聲聞心，是為入不二法門。」

弗沙菩薩曰：「善、不善為二，若不起善、不善，入無相際而通達者，是為入不二法門。」

師子菩薩曰：「罪、福為二，若達罪性，則與福無異，以金剛慧決了此相無縛無解者，是為入不二法門。」

師子意菩薩曰：「有漏、無漏為二，若得諸法等則不起漏、不漏想，不著於相亦不住無相，是為入不二法門。」

淨解菩薩曰：「有為、無為為二，若離一切數則心如虛空，以清淨慧無所礙者，是為入不二法門。」

那羅延菩薩曰：「世間、出世間為二，世間性空即是出世間，於其中不入、不出、不溢、不散，是為入不二法門。」

善意菩薩曰：「生死、涅槃為二，若見生死性則無生死，無縛無解、不生不滅。如是解者，是為入不二法門。」

現見菩薩曰：「盡、不盡為二，法若究竟盡、若不盡皆是無盡相，無盡相即是空，空則無有盡、不盡相。如是入者，是為入不二法門。」

普守菩薩曰：「我、無我為二，我尚不可得，非我何可得！見我實性者不復起二，是為入不二法門。」

電天菩薩曰：「明、無明為二，無明實性即是明，明亦不可取離一切數，於其中平等無二者，是為入不二法門。」

喜見菩薩曰：「色、色空為二，色即是空，非色滅空，色性自空；如是受、想、行、識、識空為二，識即是空，非識滅空，識性自空。於其中而通達者，是為入不二法門。」

明相菩薩曰：「四種異、空種異為二，四種性即是空種性，如前際、後際空故中際亦空。若能如是知諸種性者，是為入不二法門。」

妙意菩薩曰：「眼、色為二，若知眼性於色不貪、不恚、不癡，是名寂滅。

如是耳聲、鼻香、舌味、身觸、意法為二，若知意性於法不貪、不恚、不癡，是名寂滅。安住其中，是為入不二法門。」

無盡意菩薩曰：「布施、迴向一切智為二，布施性即是迴向一切智性；如是持戒忍辱精進禪定智慧、迴向一切智為二，智慧性即是迴向一切智性。於其中入一相者，是為入不二法門。」

深慧菩薩曰：「是空、是無相、是無作為二，空即無相，無相即無作，若空、無相、無作則無心意識，於一解脫門即是三解脫門者，是為入不二法門。」

寂根菩薩曰：「佛、法、衆為二，佛即是法，法即是衆，是三寶皆無為相與虛空等，一切法亦爾。能隨此行者，是為入不二法門。」

心無礙菩薩曰：「身、身滅為二，身即是身滅。所以者何？見身實相者不起見身及見滅身，身與滅身無二無分別。於其中不驚不懼者，是為入不二法門。」

上善菩薩曰：「身、口、意善為二，是三業皆無作相，身無作相即口無作相，口無作相即意無作相，是三業無作相即一切法無作相。能如是隨無作慧者，是為入不二法門。」

福田菩薩曰：「福行、罪行、不動行為二，三行實性即是空，空則無福行、無罪行、無不動行，於此三行而不起者，是為入不二法門。」

華嚴菩薩曰：「從我起二為二，見我實相者不起二法，若不住二法則無有識，無所識者，是為入不二法門。」

德藏菩薩曰：「有所得相為二，若無所得則無取捨，無取捨者，是為入不二法門。」

月上菩薩曰：「闇與明為二，無闇無明則無有二。所以者何？如入滅受想定無闇、無明，一切法相亦復如是。於其中平等入者，是為入不二法門。」

寶印手菩薩曰：「樂涅槃、不樂世間為二，若不樂涅槃、不厭世間則無有二。所以者何？若有縛則有解，若本無縛其誰求解？無縛無解則無樂厭，是為入不二法門。」

珠頂王菩薩曰：「正道、邪道為二，住正道者，則不分別是邪是正。離此二者，是為入不二法門。」

樂實菩薩曰：「實、不實為二，實見者尚不見實，何況非實！所以者何？非肉眼所見，慧眼乃能見。而此慧眼無見無不見，是為入不二法門。」

如是諸菩薩各各說已，問文殊師利：「何等是菩薩入不二法門？」

文殊師利曰：「如我意者，於一切法無言無說，無示無識，離諸問答，是為入不二法門。」

於是文殊師利問維摩詰：「我等各自說已，仁者當說何等是菩薩入不二法門？」

時，維摩詰默然無言。

文殊師利歎曰：「善哉！善哉！乃至無有文字語言，是真入不二法門。」

說是入不二法門品時，於此眾中五千菩薩，皆入不二法門得無生法忍。

維摩詰所說經卷中

維摩詰所說經卷下

姚秦三藏鳩摩羅什譯

香積佛品第十

於是舍利弗心念：「日時欲至，此諸菩薩當於何食？」

時，維摩詰知其意而語言：「佛說八解脫，仁者受行，豈雜欲食而聞法乎？若欲食者且待須臾，當令汝得未曾有食。」

時，維摩詰即入三昧，以神通力示諸大眾：「上方界分過四十二恒河沙佛土，有國名眾香，佛號香積，今現在。其國香氣比於十方諸佛世界人天之香，最為第一，彼土無有聲聞、辟支佛名，唯有清淨大菩薩眾，佛為說法。其界一切皆以香作樓閣，經行香地，苑園皆香，其食香氣周流十方無量世界。時彼佛與諸菩薩方共坐食，有諸天子皆號香嚴，悉發阿耨多羅三藐三菩提心，供養彼佛及諸菩薩。」此諸大眾莫不目見。

時，維摩詰問眾菩薩言：「諸仁者！誰能致彼佛飯？」以文殊師利威神力故咸皆默然。

維摩詰言：「仁！此大眾無乃可恥？」

文殊師利曰：「如佛所言，勿輕未學。」

於是維摩詰不起于座，居眾會前化作菩薩，相好光明威德殊勝蔽於眾會，而告之曰：「汝往上方界分度如四十二恒河沙佛土有國名眾香，佛號香積，與諸菩薩方共坐食。汝往到彼如我辭：『維摩詰稽首世尊足下，致敬無量，問訊起居，少病少惱，氣力安不？願得世尊所食之餘，當於娑婆世界施作佛事，令此樂小法者得弘大道，亦使如來名聲普聞。』」

時，化菩薩即於會前昇于上方，舉眾皆見。其去到眾香界禮彼佛足，又聞其言：「維摩詰稽首世尊足下，致敬無量，問訊起居，少病少惱，氣力安不？願得世尊所食之餘，欲於娑婆世界施作佛事，使此樂小法者得弘大道，亦使如來名聲普聞。」

彼諸大士見化菩薩，歎未曾有：「今此上人從何所來？娑婆世界為在何許？云何名為樂小法者？」

即以問佛，佛告之曰：「下方度如四十二恒河沙佛土，有世界名娑婆，佛號釋迦牟尼，今現在於五濁惡世，為樂小法眾生敷演道教。彼有菩薩名維摩詰，住不可思議解脫，為諸菩薩說法，故遣化來稱揚我名，并讚此土，令彼菩薩增益功德。」

彼菩薩言：「其人何如？乃作是化！德力無畏，神足若斯！」

佛言：「甚大！一切十方皆遣化往，施作佛事饒益眾生。」

於是香積如來，以眾香鉢盛滿香飯與化菩薩。

時，彼九百萬菩薩俱發聲言：「我欲詣娑婆世界供養釋迦牟尼佛，并欲見維摩詰等諸菩薩眾。」

佛言：「可往！攝汝身香，無令彼諸眾生起惑著心；又當捨汝本形，勿使彼國求菩薩者而自鄙恥。又汝於彼莫懷輕賤而作礙想。所以者何？十方國土皆如虛空，又諸佛為欲化諸樂小法者，不盡現其清淨土耳！」

時，化菩薩既受鉢飯，與彼九百萬菩薩俱，承佛威神及維摩詰力，於彼世界忽然不現，須臾之間至維摩詰舍。時維摩詰即化作九百萬師子之座，嚴好如前，諸菩薩皆坐其上。是化菩薩以滿鉢香飯與維摩詰，飯香普熏毘耶離城及三千大千世界。時毘耶離婆羅門、居士等，聞是香氣，身意快然歎未曾有。於是長者主月蓋，從八萬四千人來入維摩詰舍，見其室中菩薩甚多，諸師子座高廣嚴好，皆大歡喜，禮眾菩薩及大弟子，卻住一面。諸地神、虛空神及欲、色界諸天，聞此香氣亦皆來入維摩詰舍。

時，維摩詰語舍利弗等諸大聲聞：「仁者！可食如來甘露味飯，大悲所熏，無以限意食之，使不消也！」

有異聲聞念：「是飯少而此大眾人人當食。」

化菩薩曰：「勿以聲聞小德小智，稱量如來無量福慧。四海有竭，此飯無盡，使一切人食*摶若須彌乃至一劫猶不能盡。所以者何？無盡戒、定、智慧、解脫、解脫知見功德具足者，所食之餘，終不可盡。」

於是鉢飯悉飽眾會，猶故不㵺。其諸菩薩、聲聞、天人食此飯者，身安快樂，譬如一切樂莊嚴國諸菩薩也！又諸毛孔皆出妙香，亦如眾香國土諸樹之香。

爾時，維摩詰問眾香菩薩：「香積如來以何說法？」

彼菩薩曰：「我土如來無文字說，但以眾香令諸天人得入律行；菩薩各各坐香樹下聞斯妙香，即獲一切德藏三昧，得是三昧者，菩薩所有功德皆悉具足。」

彼諸菩薩問維摩詰：「今世尊釋迦牟尼以何說法？」

維摩詰言：「此土眾生剛強難化故，佛為說剛強之語以調伏之。言是地獄，是畜生，是餓鬼；是諸難處，是愚人生處；是身邪行，是身邪行報；是口邪行，是口邪行報；是意邪行，是意邪行報；是殺生，是殺生報；是不與取，是不與取報；是邪婬，是邪婬報；是妄語，是妄語報；是兩舌，是兩舌報；是惡口，是惡口報；是無義語，是無義語報；是貪嫉，是貪嫉報；是瞋惱，是瞋惱報；是邪見，是邪見報；是慳悋，是慳悋報；是毀戒，是毀戒報；是瞋恚，是瞋恚報；是懈怠，是懈怠報；是亂意，是亂意報；是愚癡，是愚癡報；是結戒，是持戒，是犯戒；是應作，是不應作；是障礙，是不障礙；是得罪，是離罪；是淨，是垢；是有漏，是無漏；是邪道，是正道；是有為，是無為；是世間，是涅槃。以難化之人心如猨猴故，以若干種法制御其心乃可調伏。譬如象馬𢤱悷不調，加諸楚毒乃至徹骨然後調伏；如是剛強難化眾生故，以一切苦切之言乃可入律。」

彼諸菩薩聞說是已，皆曰：「未曾有也！如世尊釋迦牟尼佛，隱其無量自在之力，乃以貧所樂法度脫眾生；斯諸菩薩亦能勞謙，以無量大悲生是佛土。」

維摩詰言：「此土菩薩於諸眾生大悲堅固，誠如所言。然其一世饒益眾生，多於彼國百千劫行。所以者何？此娑婆世界有十事善法，諸餘淨土之所無有。何等為十？以布施攝貧窮，以淨戒攝毀禁，以忍辱攝瞋恚，以精進攝懈怠，以禪定攝亂意，以智慧攝愚癡，說除難法度八難者，以大乘法度樂小乘者，以諸善根濟無德者，常以四攝成就眾生，是為十」。

彼菩薩曰：「菩薩成就幾法？於此世界行無瘡疣生于淨土。」

維摩詰言：「菩薩成就八法，於此世界行無瘡疣生于淨土。何等為八？饒益眾生，而不望報；代一切眾生受諸苦惱，所作功德盡以施之；等心眾生，謙下無礙；於諸菩薩，視之如佛；所未聞經，聞之不疑；不與聲聞而相違背，不嫉彼供不高己利，而於其中調伏其心；常省己過，不訟彼短；恒以一心求諸功德。是為八法。」

維摩詰、文殊師利於大眾中說是法時，百千天人皆發阿耨多羅三藐三菩提心，十千菩薩得無生法忍。

維摩詰所說經菩薩行品第十一

是時，佛說法於菴羅樹園，其地忽然廣博嚴事，一切眾會皆作金色。阿難白佛言：「世尊！以何因緣有此瑞應？是處忽然廣博嚴事，一切衆會皆作金色。」

佛告阿難：「是維摩詰、文殊師利，與諸大衆恭敬圍繞，發意欲來，故先為此瑞應。」

於是維摩詰語文殊師利：「可共見佛，與諸菩薩禮事供養。」

文殊師利言：「善哉！行矣！今正是時。」

維摩詰即以神力，持諸大衆并師子座置於右掌，往詣佛所。到已著地，稽首佛足右遶七匝，一心合掌在一面立；其諸菩薩即皆避座稽首佛足，亦繞七匝於一面立；諸大弟子、釋、梵、四天王等，亦皆避座稽首佛足在一面立。於是世尊如法慰問諸菩薩已，各令復坐，即皆受教衆坐已定。

佛語舍利弗：「汝見菩薩大士自在神力之所為乎？」

「唯然！已見。」

「於汝意云何？」

「世尊！我覩其為不可思議，非意所圖非度所測。」

爾時，阿難白佛言：「世尊！今所聞香自昔未有，是為何香？」

佛告阿難：「是彼菩薩毛孔之香」。

於是舍利弗語阿難言：「我等毛孔亦出是香。」

阿難言：「此所從來？」

曰：「是長者維摩詰從眾香國取佛餘飯於舍食者，一切毛孔皆香若此。」

阿難問維摩詰：「是香氣住當久如？」

維摩詰言：「至此飯消。」

曰：「此飯久如當消？」

曰：「此飯勢力至于七日然後乃消。又阿難！若聲聞人未入正位食此飯者，得入正位然後乃消；已入正位食此飯者，得心解脫然後乃消；若未發大乘意食此飯者，至發意乃消；已發意食此飯者，得無生忍然後乃消；已得無生忍食此飯者，至一生補處然後乃消。譬如有藥名曰上味，其有服者身諸毒滅然後乃消；此飯如是滅除一切諸煩惱毒，然後乃消。」

阿難白佛言：「未曾有也！世尊！如此香飯能作佛事。」

佛言：「如是！如是！阿難！或有佛土以佛光明而作佛事。有以諸菩薩而作佛事。有以佛所化人而作佛事。有以菩提樹而作佛事。有以佛衣服臥具而作佛事。有以飯食而作佛事。有以園林臺觀而作佛事。有以三十二相、八十隨形好而作佛事。有以佛身而作佛事。有以虛空而作佛事，衆生應以此緣得入律行。有以夢、幻、影、響、鏡中像、水中月、熱時炎如是等喻而作佛事。有以音聲、語言、文字而作佛事。或有清淨佛土寂寞無言、無說、無示、無識、無作、無為而作佛事。如是，阿難！諸佛威儀進止、諸所施為無非佛事。阿難！有此四魔八萬四千諸煩惱門，而諸衆生為之疲勞，諸佛即以此法而作佛事，是名入一切諸佛法門。菩薩入此門者，若見一切淨好佛土，不以為喜，不貪不高；若見一切不淨佛土，不以為憂，不礙不沒。但於諸佛生清淨心，歡喜恭敬未曾有也！諸佛如來功德平等，為化衆生故，而現佛土不同。

「阿難！汝見諸佛國土，地有若干而虛空無若干也！如是見諸佛色身有若干耳，其無礙慧無若干也！阿難！諸佛色身、威相、種性，戒、定、智慧、解脫、解脫知見、力、無所畏、不共之法，大慈大悲威儀所行，及其壽命說法教化，成就眾生淨佛國土，具諸佛法悉皆同等，是故名為三藐三佛陀，名為多陀阿伽度，名為佛陀。阿難！若我廣說此三句義，汝以劫壽不能盡受。正使三千大千世界滿中眾生，皆如阿難多聞第一得念總持，此諸人等以劫之壽亦不能受。如是，阿難！諸佛阿耨多羅三藐三菩提無有限量，智慧辯才不可思議。」

阿難白佛言：「我從今已往不敢自謂以為多聞。」

佛告阿難：「勿起退意。所以者何？我說汝於聲聞中為最多聞，非謂菩薩。且止！阿難！其有智者不應限度諸菩薩也！一切海淵尚可測量，菩薩禪定、智慧、總持、辯才、一切功德不可量也！阿難！汝等捨置菩薩所行，是維摩詰一時所現神通之力，一切聲聞、辟支佛於百千劫盡力變化所不能作。」

爾時，眾香世界菩薩來者合掌白佛言：「世尊！我等初見此土生下劣想，今自悔責，捨離是心。所以者何？諸佛方便不可思議，為度眾生故，隨其所應現佛國異。唯然！世尊！願賜少法，還於彼土當念如來。」

佛告諸菩薩：「有盡無盡解脫法門，汝等當學。何謂為盡？謂有為法。何謂無盡？謂無為法。如菩薩者，不盡有為，不住無為。

「何謂不盡有為？謂不離大慈，不捨大悲；深發一切智心而不忽忘；教化衆生終不厭惓；於四攝法常念順行；護持正法不惜軀命；種諸善根無有疲厭；志常安住方便迴向；求法不懈，說法無悋；勤供諸佛故，入生死而無所畏；於諸榮辱心無憂喜；不輕未學，敬學如佛；墮煩惱者令發正念；於遠離樂不以為貴；不著己樂，慶於彼樂；在諸禪定如地獄想；於生死中如園觀想；見來求者為善師想；捨諸所有具一切智想；見毀戒人起救護想；諸波羅蜜為父母想；道品之法為眷屬想；發行善根無有齊限；以諸淨國嚴飾之事，成己佛土；行無限施，具足相好；除一切惡，淨身口意；生死無數劫，意而有勇；聞佛無量德，志而不倦；以智慧劍破煩惱賊；出陰界入，荷負衆生永使解脫；以大精進摧伏魔軍；常求無念實相智慧行；於世間法、少欲知足，於出世間求之無厭，而不捨世間法；不壞威儀法而能隨俗；起神通慧引導眾生；得念總持所聞不忘；善別諸根斷眾生疑；以樂說辯演法無礙；淨十善道受天人福；修四無量開梵天道；勸請說法隨喜讚善，得佛音聲；身口意善，得佛威儀；深修善法，所行轉勝，以大乘教成菩薩僧；心無放逸不失眾善。行如此法，是名菩薩不盡有為。

「何謂菩薩不住無為？謂修學空，不以空為證；修學無相無作，不以無相無作為證；修學無起，不以無起為證；觀於無常，而不厭善本；觀世間苦，而不惡生死；觀於無我，而誨人不倦；觀於寂滅，而不永滅；觀於遠離，而身心修善；觀無所歸，而歸趣善法；觀於無生，而以生法荷負一切；觀於無漏，而不斷諸漏；觀無所行，而以行法教化眾生；觀於空無，而不捨大悲；觀正法位，而不隨小乘；觀諸法虛妄，無牢、無人、無主、無相、本願未滿，而不虛福德禪定智慧。修如此法，是名菩薩不住無為。

「又具福德故不住無為，具智慧故不盡有為；大慈悲故不住無為，滿本願故不盡有為；集法藥故不住無為，隨授藥故不盡有為；知眾生病故不住無為，滅眾生病故不盡有為。諸正士菩薩以修此法，不盡有為、不住無為，是名盡無盡解脫法門。汝等當學。」

爾時，彼諸菩薩聞說是法皆大歡喜，以衆妙華若干種色、若干種香，散遍三千大千世界，供養於佛及此經法并諸菩薩已；稽首佛足，歎未曾有，言：「釋迦牟尼佛！乃能於此善行方便。」言已忽然不現，還到彼國。

維摩詰所說經見阿閦佛品第十二

爾時，世尊問維摩詰：「汝欲見如來，為以何等觀如來乎？」

維摩詰言：「如自觀身實相，觀佛亦然！我觀如來，前際不來，後際不去，今則不住；不觀色，不觀色如，不觀色性；不觀受、想、行、識，不觀識如，不觀識性；非四大起，同於虛空；六入無積，眼、耳、鼻、舌、身、心已過，不在三界，三垢已離；順三脫門，具足三明與無明等；不一相，不異相；不自相，不他相；非無相，非取相；不此岸，不彼岸，不中流，而化衆生；觀於寂滅，亦不永滅；不此不彼，不以此不以彼；不可以智知，不可以識識；無晦、無明、無名、無相，無強、無弱、非淨、非穢；不在方，不離方；非有為非無為；無示無說，不施不慳，不戒不犯，不忍不恚，不進不怠，不定不亂，不智不愚，不誠不欺，不來不去，不出不入，一切言語道斷；非福田，非不福田；非應供養，非不應供養；非取非捨；非有相非無相；同真際等法性；不可稱不可量，過諸稱量；非大非小；非見、非聞、非覺、非知，離眾結縛；等諸智同眾生，於諸法無分別；一切無失、無濁無惱、無作無起、無生無滅、無畏無憂、無喜無厭、無著、無已有、無當有、無今有，不可以一切言說分別顯示。世尊！如來身為若此，作如是觀。以斯觀者名為正觀，若他觀者名為邪觀。」

爾時，舍利弗問維摩詰：「汝於何沒而來生此？」

維摩詰言：「汝所得法有沒生乎？」

舍利弗言：「無沒生也！」

「若諸法無沒生相，云何問言：『汝於何沒而來生此？』於意云何？譬如幻師幻作男女，寧沒生耶？」

舍利弗言：「無沒生也！」

「汝豈不聞佛說諸法如幻相乎？」

答曰：「如是！」

「若一切法如幻相者，云何問言：『汝於何沒而來生此？』舍利弗！沒者為虛誑法敗壞之相，生者為虛誑法相續之相，菩薩雖沒，不盡善本，雖生，不長諸惡。」

是時，佛告舍利佛：「有國名妙喜，佛號無動，是維摩詰於彼國沒而來生此。」

舍利弗言：「未曾有也！世尊！是人乃能捨清淨土，而來樂此多怒害處。」

維摩詰語舍利弗：「於意云何？日光出時與冥合乎？」

答曰：「不也！日光出時即無眾冥。」

維摩詰言：「夫日何故行閻浮提？」

答曰：「欲以明照為之除冥。」

維摩詰言：「菩薩如是！雖生不淨佛土，為化衆生，故不與愚闇而共合也！但滅衆生煩惱闇耳！」

是時，大衆渴仰欲見妙喜世界無動如來及其菩薩、聲聞之衆。佛知一切衆會所念，告維摩詰言：「善男子！為此衆會，現妙喜國無動如來及諸菩薩、聲聞之衆，衆皆欲見。」

於是維摩詰心念：「吾當不起于座接妙喜國鐵圍山川、溪谷江河、大海泉源、須彌諸山，及日月星宿、天、龍、鬼、神、梵天等宮，并諸菩薩、聲聞之衆、城邑聚落男女大小，乃至無動如來及菩提樹諸妙蓮華，能於十方作佛事者。三道寶階從閻浮提至忉利天，以此寶階諸天來下，悉為禮敬無動如來聽受經法；閻浮提人亦登其階，上昇忉利見彼諸天。妙喜世界成就如是無量功德，上至阿迦膩吒天，下至水際；以右手斷取，如陶家輪；入此世界，猶持華鬘示一切衆。」

作是念已，入於三昧現神通力，以其右手斷取妙喜世界置於此土。彼得神通菩薩及聲聞衆并餘天人，俱發聲言：「唯然！世尊！誰取我去？願見救護！」

無動佛言：「非我所為，是維摩詰神力所作。」其餘未得神通者，不覺不知己之所往。妙喜世界雖入此土，而不增減；於是世界亦不迫隘，如本無異。

爾時，釋迦牟尼佛告諸大眾：「汝等且觀妙喜世界無動如來，其國嚴飾，菩薩行淨，弟子清白。」

皆曰：「唯然！已見。」

佛言：「若菩薩欲得如是清淨佛土，當學無動如來所行之道。」現此妙喜國時，娑婆世界十四那由他人發阿耨多羅三藐三菩提心，皆願生於妙喜佛土。釋迦牟尼佛即記之曰：「當生彼國。」

時，妙喜世界於此國土所應饒益其事訖已，還復本處，舉眾皆見。

佛告舍利弗：「汝見此妙喜世界及無動佛不？」

「唯然！已見！世尊！願使一切眾生得清淨土如無動佛，獲神通力如維摩詰。世尊！我等快得善利，得見是人親近供養，其諸眾生，若今現在、若佛滅後，聞此經者亦得善利，況復聞已信解、受持、讀誦、解說、如法修行！若有手得是經典者，便為已得法寶之藏；若有讀誦解釋其義、如說修行，即為諸佛之所護念；其有供養如是人者，當知即為供養於佛；其有書持此經卷者，當知其室即有如來；若聞是經能隨喜者，斯人即為取一切智；若能信解此經乃至一四句偈為他說者，當知此人即是受阿耨多羅三藐三菩提記。」

維摩詰所說經法供養品第十三

爾時，釋提桓因於大眾中白佛言：「世尊！我雖從佛及文殊師利聞百千經，未曾聞此不可思議自在神通決定實相經典。如我解佛所說義趣，若有眾生聞是經法，信解、受持、讀誦之者，必得是法不疑，何況如說修行！斯人即為閉眾惡趣，開諸善門，常為諸佛之所護念，降伏外學摧滅魔怨，修治菩提安處道場，履踐如來所行之跡。世尊！若有受持、讀誦、如說修行者，我當與諸眷屬供養給事；所在聚落城邑、山林曠野有是經處，我亦與諸眷屬聽受法故共到其所。其未信者當今生信，其已信者當為作護。」

佛言：「善哉！善哉！天帝！如汝所說，吾助爾喜。此經廣說過去、未來、現在諸佛不可思議阿耨多羅三藐三菩提。是故，天帝！若善男子、善女人受持讀誦供養是經者，即為供養去、來、今佛。天帝！正使三千大千世界如來滿中，譬如甘蔗、竹葦、稻麻、叢林，若有善男子、善女人或一劫或減一劫，恭敬尊重讚歎供養奉諸所安；至諸佛滅後，以一一全身舍利起七寶塔，縱廣一四天下，高至梵天，表剎莊嚴；以一切華香、瓔珞、幢幡、伎樂微妙第一，若一劫若減一劫而供養之。於天帝意云何？其人植福寧為多不？」

釋提桓因言：「多矣！世尊！彼之福德若以百千億劫說不能盡。」

佛告天帝：「當知是善男子、善女人聞是不可思議解脫經典，信解、受持、讀誦、修行，福多於彼。所以者何？諸佛菩提皆從是生，菩提之相不可限量，以是因緣福不可量。」

佛告天帝：「過去無量阿僧祇劫時，世有佛號曰：藥王如來、應供、正遍知、明行足、善逝、世間解、無上士、調御丈夫、天人師、佛、世尊，世界名大莊嚴，劫曰莊嚴；佛壽二十小劫，其聲聞僧三十六億那由他，菩薩僧有十二億。天帝！是時，有轉輪聖王名曰寶蓋，七寶具足主四天下；王有千子，端正勇健能伏怨敵。

「爾時，寶蓋與其眷屬供養藥王如來，施諸所安至滿五劫。過五劫已告其千子：『汝等亦當如我以深心供養於佛。』於是千子受父王命，供養藥王如來，復滿五劫，一切施安。其王一子名曰月蓋，獨坐思惟：『寧有供養殊過此者？』以佛神力，空中有天曰：『善男子！法之供養勝諸供養。』即問：『何謂法之供養？』天曰：『汝可往問藥王如來，當廣為汝說法之供養。』

「即時月蓋王子行詣藥王如來，稽首佛足，却住一面白佛言：『世尊！諸供養中法供養勝，云何為法供養？』

「佛言：『善男子！法供養者，諸佛所說深經，一切世間難信難受，微妙難見，清淨無染，非但分別思惟之所能得；菩薩法藏所攝，陀羅尼印印之。至不退

維摩詰所說經囑累品第十四

於是佛告彌勒菩薩言：「彌勒！我今以是無量億阿僧祇劫所集阿耨多羅三藐三菩提法，付囑於汝。如是輩經於佛滅後末世之中，汝等當以神力廣宣流布於閻浮提無令斷絕。所以者何？未來世中當有善男子、善女人及天、龍、鬼神、乾闥婆、羅剎等，發阿耨多羅三藐三菩提心，樂于大法，若使不聞如是等經則失善利。如此輩人聞是等經，必多信樂發希有心，當以頂受，隨諸衆生所應得利而為廣說。

「彌勒！當知菩薩有二相，何謂為二？一者、好於雜句文飾之事，二者、不畏深義如實能入。若好雜句文飾事者，當知是為新學菩薩；若於如是無染無著甚深經典，無有恐畏能入其中，聞已心淨受持、讀誦、如說修行，當知是為久修道行。

「彌勒！復有二法，名新學者不能決定於甚深法。何等為二？一者、所未聞深經，聞之驚怖生疑不能隨順，毀謗不信而作是言：『我初不聞，從何所來？』二者、若有護持解說如是深經者，不肯親近供養恭敬，或時於中說其過惡。有此二法，當知是為新學菩薩，為自毀傷，不能於深法中調伏其心。

「彌勒！復有二法，菩薩雖信解深法，猶自毀傷而不能得無生法忍。何等為二？一者、輕慢新學菩薩而不教誨，二者、雖解深法而取相分別。是為二法。」

彌勒菩薩聞說是已，白佛言：「世尊！未曾有也！如佛所說，我當遠離如斯之惡，奉持如來無數阿僧祇劫所集阿耨多羅三藐三菩提法。若未來世善男子、善女人求大乘者，當令手得如是等經，與其念力，使受持、讀誦、為他廣說。世尊！若後末世有能受持、讀誦、為他說者，當知皆是彌勒神力之所建立。」

佛言：「善哉！善哉！彌勒！如汝所說，佛助爾喜。」

於是一切菩薩合掌白佛：「我等亦於如來滅後，十方國土廣宣流布阿耨多羅三藐三菩提法，復當開導諸說法者令得是經」。

爾時，四天王白佛言：「世尊！在在處處城邑聚落、山林曠野，有是經卷讀誦、解說者，我當率諸官屬為聽法故往詣其所，擁護其人面百由旬，令無伺求得其便者。」

是時，佛告阿難：「受持是經廣宣流布。」

阿難言：「唯然！我已受持要者。世尊！當何名斯經？」

佛言：「阿難！是經名為維摩詰所說，亦名不可思議解脫法門，如是受持。」

佛說是經已，長者維摩詰、文殊師利、舍利弗、阿難等，及諸天人、阿修羅一切大眾，聞佛所說皆大歡喜。

維摩詰所說經卷下

維摩詰經

維摩詰經卷上②

維摩詰所說不思議法門之稱
一名佛法普入道門三昧經

吳月氏優婆塞支謙譯

佛國品第一

聞如是：一時，佛遊於維耶離奈氏樹園，與大比丘衆俱，比丘八千。菩薩三萬二千，皆神通菩薩，一切大聖能隨俗化，佛所*作者皆已得*作，為法城塹護持正法，為師子吼十方聞聲，衆人不請*友而安之，興隆三寶能使不絕，皆已降棄魔行仇怨，一切所化莫不信解，皆度死地脫無罣礙，不失辯才；其念及定總持諸寶，悉成其所；布施、調意、自損、戒、忍、精進、一心、智慧，善權已下，得無所著，不起法忍阿惟越致；法輪已轉，隨衆人相為現慧德，在諸衆為正導，以無畏而不動；已成福祐慧之分部，已得相好能自嚴飾，色像第一；捨世間財；志行高妙，名稱普至；有金剛志，得佛聖性；以法感人，為雨甘露；曉衆言音，所說如流，其聲清淨，入微妙法；見生死本，衆厄已斷；度諸恐畏，為師子吼，不以多言；其講說法，乃如雷震；無有量，已過量；以道寶之智，導為大師，以知足之行，現遠佛聲及法功德博入諸道順化衆生；說無比正佛之智慧，以十力、無畏、佛十八法往度惡道諸墮塹者，其生五道為大醫王，以慧以善，救衆生病，應病與藥，令得服行；無量善事皆悉得，無量佛國皆嚴淨；無量佛慧皆修學，明智之講皆聽聞，明者之迹皆履行，慧之德本隨次興，深法之要皆已入，三昧無量能悉成。佛力無畏，一切具足。

其名曰：正觀菩薩、見正邪菩薩、定化王菩薩、法自在菩薩、法造菩薩、光造菩薩、光淨菩薩、大淨菩薩、辯積菩薩、寶積菩薩、寶掌菩薩、寶印手菩薩、常舉手菩薩、常下手菩薩、常慘菩薩、常笑菩薩、喜根菩薩、喜王菩薩、正願至菩薩、虛空藏菩薩、寶甚持菩薩、寶首菩薩、寶池菩薩、寶水菩薩、水光菩薩、捨無業菩薩、智積菩薩、燈王菩薩、制魔菩薩、造化菩薩、明施菩薩、上審菩薩、相積嚴菩薩、師子雷音菩薩、石磨王菩薩、衆香手菩薩、衆手菩薩、常應菩薩、不置遠菩薩、善意諫菩薩、蓮華淨菩薩、大勢至菩薩、闚音菩薩、梵水菩薩、*常水菩薩、寶幢菩薩、勝邪菩薩、嚴土菩薩、金*髻菩薩、珠*髻菩薩、慈氏菩薩、濡首菩薩，其三萬二千菩薩，皆如此上首者也。

復有萬婆羅門，皆如編髮等，從四方境界來詣佛所而聽法。一切諸天各與其衆，俱來會聚此。彼天帝萬二千釋從四方來，與他大尊神妙之天，及諸龍神、揵沓和、阿須倫、迦留羅、甄陀羅、摩睺勒等，並其衆皆來會。諸比丘、比丘尼、優婆塞、優婆夷，並其衆會坐。

彼時，佛與若干百千之衆，眷屬圍遶，而為說經。其從須彌方外來者，四面雲集，一切衆會皆坐自然師子之座。於是，維耶離國有長者子，名羅隣那竭，漢言曰寶事，與五百長者子俱，皆有決於無上正真之道，持七寶蓋來詣佛所，稽首佛足，以其寶蓋，共覆佛上。佛之威神，令一寶蓋，覆此三千大千佛國，於是世界諸來大衆，皆見寶蓋覆此三千世界。諸須彌⊙山、目隣⊙山大目隣山、雪山、寶山、黑山、鐵圍山、大鐵圍山，悉現於寶蓋中。此三千世界大海、江河、川流、泉源，及上日月星辰，天宮、龍宮、諸尊神宮，悉現於寶蓋中。十方諸佛佛國嚴淨，及十方佛在所說法，皆現於寶蓋中，悉遙見聞。一切魔衆得未曾有，禮佛而立，國界若干莫不*自見。

童子寶事，即於佛前以偈讚曰：

清淨金華眼明好，淨教滅意度無極，淨除欲疑稱無量，願禮沙門寂然迹。
既見大聖三界將，現我佛國特清明，說最法言決衆疑，虛空神天得聞聽。
經道講授諸法王，以法布施解說人，法鼓導善現上義，稽首法王此極尊。
說名不有亦不無，以因緣故諸法生，非我不造彼不知，如佛清淨無惡形。
始在佛樹力降魔，得甘露滅覺道成，以無心意而現行，一切異學伏其名。
三轉法輪於大千，受者修正質行清，天人得見從解法，為現三寶於世間。
佛所說法開化人，終已無求常寂然，上智愍度老死畏，當禮法海德無邊。

供養事者如須彌，無諴與諴等以慈，所演如空念普行，孰聞佛名不敬承。
今奉能仁此慈蓋，於中現我三千世，諸天龍神所居宮，揵沓和等及閱叉。
以知世間諸所有，十力哀現是變化，衆覩希有皆歎佛，稽首極尊大智現。

童子寶事說此偈讚佛已，以恭肅敬意，長跪叉手，白佛言：「此五百童子，皆有決於無上正真之道，願聞得佛國土清淨，*惟佛解說如來佛國清淨之行。」

於是佛告寶事曰：「童子！諦聽！善思念之！吾當為汝解說如來菩薩佛國清淨。」於是寶事與諸大衆受教而聽。

佛言：「童子！蚑行、喘息、人物之土，則是菩薩佛國。所以者何？菩薩欲教化衆生，是故攝取佛國；欲使佛國人民盡奉法律，故取佛國；欲使佛國人民入佛上智，故取佛國；欲使佛國人民見聖典之事，而以發意，故取佛國。所以者何？欲導利一切人民，令生佛國。譬如有人欲*處空中造立宮室，終不能成。如是，童子！菩薩欲度人民，故願取佛國；願取佛國者，非於空也。童子！當知菩薩以無求於國故，於佛國得道，以不言我教*詔人民生于佛土。菩薩以善性於國故，於佛國得道，能成衆善，為人重任，生于佛土。菩薩弘其道意故，於佛國得道，恒以大乘正立人民，得有佛土。菩薩布施為國故，於佛國得道，一切布施施諸人民生于佛土。菩薩持戒為國故，於佛國得道，周滿所願以十善行，合聚人民生于佛土。菩薩忍辱為國故，於佛國得道，有三十二相而自嚴飾，以其忍行調正人民生于佛土。菩薩精進為國故，於佛國得道，以諸德本善修勤力，合聚人民生于佛土。菩薩禪思為國故，於佛國得道，已知所念正安人民生于佛土。菩薩智慧為國故，於佛國得道，能以正導成就人民生于佛土。菩薩行四等心為國故，於佛國得道，慈悲喜護，護諸人民生于佛土。菩薩行四恩為國故，於佛國得道，惠施仁愛、利人等利，一切救濟，合聚人民生*于佛土。菩薩行善權方便故，於佛國得道，一切行權攝人為善，生于佛土。菩薩行三十七道品之法故，於佛國得道，以根、力、覺意勉進人民生于佛土。菩薩分流法化故，於佛國得道，一切示現賢善之行，得見佛土。菩薩說除八難故，於佛國得道，一切為斷惡道衆難，而有佛土。菩薩自覺不譏彼受故，於佛國得道，斷諸邪受，而有佛土。菩薩淨修十善之行故，於佛國得道，而不離偶大財梵行誠諦之語，免于惡道，言以柔軟，不別眷屬，恒與善俱，無有嫉慢，除忿怒意，以正見誨人，生于佛土。如是，童子！菩薩*已應此行便有名譽，已有名譽便生善處，已生善處便受其福，已受其福便能分德，已能分德便行善權，已行善權則佛國淨，已佛國淨則人物淨，已人物淨則有淨智，已有淨智則有淨教，已有淨教則受清淨。如是，童子！菩薩欲使佛國清淨，當以淨意作如應行。所以者何？菩薩以意淨故，得佛國淨。」

賢者舍利弗，承佛威神，心念是語：「以意淨故得佛國淨，我世尊本為菩薩時，意豈不淨？而是佛國不淨若此。」

佛知其意，即報言：「云何？舍利弗！我日月淨不見色者，豈日月過耶？」

對曰：「不也！非日月過。」

佛言：「此舍利弗咎，在衆人無有智慧，不見如來佛國嚴淨，非如來咎。此舍利弗！我佛國淨，汝又未見。」

編髮梵志謂舍利弗言：「惟賢者！莫呼是佛國以為不淨，我見釋迦文佛國嚴淨，譬如彼清*淨天宮。」

舍利弗言：「我見此中亦有雜糅，其大陸地則有黑山石沙，穢惡充滿。」

編髮答曰：「賢者以聞雜惡之意，不猗淨慧視佛國耳，當如菩薩等意清淨，倚佛智慧，是以見佛國皆清淨。」

於是佛即以足指案地，此三千大千世界皆為震動，若干百千珍寶積嚴，處處校飾，譬如衆寶羅列淨好，如來境界無量嚴淨於是悉現，一切魔衆歎未曾有，而皆自見坐寶蓮華。

佛告舍利弗：「汝且觀此佛國嚴淨。」

對曰：「唯然！本所不見，本所不聞，今佛國土好淨悉現。」

「然，舍利弗！我佛國如是，為當度不肖人故，如來隨此多怒害者現佛國異。譬如諸天同金鉢食，其福多者，舉手自淨。如是，舍利弗！若人意清淨者，便自見諸佛佛國清淨。」

當佛現此佛土嚴淨之時，八萬四千人發無上正真道意，長者子寶事並五百童子，皆得柔順法忍。佛現神足，於是國土莫不欣然，各得其所，弟子行者天與人三萬二千，遠塵離垢，諸法法眼生，其八千人漏盡意解。

⑥善權品第二

是時，維耶離大城中，有長者名曰維摩詰（漢言無垢稱）。在先佛已造行修善，本得法忍；已得辯才神通*遊戲；得無所畏，降魔勞怨，深入微妙；出於智度無極，善權方便；博入諸道，令得所願，人根名德，生而具足，造成大道所作事勝。佛聖善行，皆已得立，覺意如海，而皆已入；諸佛咨嗟，弟子、釋、梵、世主所敬。欲度人故，居維耶離，矜行權道，資財無量，救攝貧民；以善方便，攝諸惡戒；以忍調行，攝諸恚怒；白衣精進，攝懈怠者；禪定正受，攝迷惑意；得智慧律，攝諸邪智；雖為白衣，奉持沙門；至賢之行居家為行，不止無色，有妻子婦，自隨所樂，常修梵行；雖有家屬，常如閑居；現*相嚴身，被服飲食，內常如禪；若在博奕戲樂，輒以度人；受諸異道，導以佛教；不離聖典，因諸世間俗教善語，以法樂而樂之；一切見敬，為供養中最；所有耆舊，能喜世間一切治生諧偶；雖獲俗利，不以喜悅；遊諸四衢，普持法律。入于王藏，諸講法衆，輒身往視，不樂小道。諸好學者，輒身往勸，誘開童蒙。入諸婬種，除其欲怒。入諸酒會，能立其志。入長者種，正長者意，能使樂法。入居士種，正居士意，能除其貪。入君子種，正君子意，能使忍和。入梵志種，正梵志意，使行高遠。入人臣中，正群臣意，為作端首使入正道。入帝王子，能正其意，以孝寬仁率化薄俗。入貴人中，能為雅樂，化正宮女。入庶人中，軟意愍傷，為興福力。入帝釋中，正帝釋意，為自在者，示現無常。入梵天中，正梵天意，能現梵殊勝之慧。入四天王，正天王意，能使擁護一切天下。

如是，長者維摩詰，不可稱說善權方便，無所不入。其以權道，現身有疾。以其疾故，國王、大臣、長者、居士，群臣、太子、并餘衆輩，從而問疾者，無數千人。其往者，維摩詰輒為說，是四大身為死亡法，言：「諸仁者！是身無常，為無強、為無力、為無堅，為苦、為老、為病，為多痛畏。諸仁者！如此身，明智者所不怙。是身如聚沫，澡浴強忍。是身如泡，不得久立。是身如野馬，渴愛疲勞。是身如芭蕉，中無有堅。是身如幻，轉受報應。是身如夢，其現恍惚。是身如影，行照而現。是身如響，因緣變失。是身如霧，意無靜相。是身如電，為分散法。是身無主，為如地。是身非身，為如火。是身非命，為如風。是身非人，為如水。是身非有，四大為家。是身為空，無我、無性、無命、無人。是身無我，我者轉離。是身如束薪，筋纏如立。是身非真，但巧風合。是身為荒，不淨腐積。是身為虛偽，*而復☆速朽為磨滅法。是身為災，一增百病。是身老為怨，以老苦*擾。是身為窮道，為要當死。

「諸仁者！此可患厭，當發清淨不婬之行，如佛法身，吾等當學。佛法身者，從福祐生。佛身者，從智生，從戒品、定品、慧品、解品、度知見品生，從慈、悲、喜、護生，從布施、調意、自損生，從忍辱、仁愛、柔和生，從強行、精進功德生，從禪解定意正受生，從智度無極聞德生，從善權方便智謀生，從一切諸度無極生，從三十七道品生，從神通生，從止觀生，從十力生，從四無所畏生，從佛十八法生，從斷一切惡法生，從一切善法合會生，從諦生，從誠生。從不可計清淨行為成如來身。如是，仁者！當自勗勉，欲除一切病者，當發行大道。」

如是，維摩詰為諸問疾者如應說法，令無數千人，發無上正真道意。

弟子品第三⑥

於是長者維摩詰自念：「寢疾于床，念佛在心。」

佛亦悅可是長者，便告賢者舍利弗：「汝行詣維摩詰問疾。」

舍利弗白佛言：「我不堪任詣彼問疾。所以者何？憶念我昔常宴坐他樹下，時維摩詰來謂我言：『唯！舍利弗！不必是坐，為宴坐也。賢者坐當如法，不於三界現身意，是為宴坐。不於內意有所住，亦不於外作二觀，是為宴坐。立於禪*不滅意現諸身，是為宴坐。於六十二見而不動，於三十七品而觀行，於生死勞垢而不造，在禪行如泥洹。若賢者如是坐、如是立，是為明曉如來坐法。』時我，世尊！聞是法，默而止，不能加報，故我不任詣彼問疾。」

佛告賢者大目犍連：「汝行詣維摩詰問疾。」

目犍連白佛言：「我不堪任詣彼問疾。所以者何？憶念我昔為諸少年居士說法，時維摩詰來謂我言：『賢者！莫為居家白衣說法，如賢者所說。欲說法者，當為如法。如法者，離人垢，以不我為離染塵，不有命為離生死，不處人為本末，斷如滅相，不以婬為無罣礙，至不老為諸作斷，以隨食為離諸損，而一切救如空等為無適莫。以無吾為除吾作，以無識心為離識心，以無倫為無有比，以因緣相為入無等，以法情正學正諸情，以如事入應無所入。*億誠☆信而皆為立，終始不動，不動則六無猗，不望於眾人當來無住，空為正止，無相為惟行，無願為離淵，不自舉不自容，為離起分而無家。眼、耳、鼻、口、身、心已過無所住，亦不無心住，已得無*智為離眾行法。賢者！為如此何說為說法？法說者為等句，聞者當等聞說。不如等句者，彼為非說，為非聞，為未⊙出。譬*如幻士為幻人說法，當建是意以為說法。隨人本德所應，當善見為現智，以大悲不癡妄為成大乘，於佛有反復，內性清淨，不斷三寶，樂以是說法說。』說是語時，世尊！八百居士發無上正真道意，我無此辯，是故我不任詣彼問疾。」

佛告賢者大迦葉：「汝行詣維摩詰問疾。」

迦葉白佛言：「我不堪任詣彼問疾。所以者何？憶念我昔於貧聚而行乞，時維摩詰來調我言：『如賢者有大哀！捨大姓，從貧乞。當知已等法施普施於所行，已能不食哀故從乞。如不以言若住空聚，所入聚中，欲度男女，所入城邑，知其種姓，輒詣劣家所行乞，於諸法無所受。若見色如盲等，所聞聲如響等，所嗅香如風等，所食味不以識得，細滑無更樂，於識法如幻。如今耆年已過八邪，八解正受，以正定越邪定，以是所乞，敬一切人，亦以奉敬諸佛賢聖，然後自食。如是食者，為非眾勞，亦非無勞，不有定意，亦無所立，不在生死，不住滅度。如賢者食所乞與者，為非無福，亦非大福，為非耗減，亦非長益，是為正依佛道，不依弟子之道。賢者！如是為不以癡妄食國中施。』時我，世尊！聞其說是至未曾有，一切菩薩當為作禮，斯有家名，乃以此辯勸發道意：『吾從是來，希復立人，為弟子、緣一覺行。』每事勸人學無上正真道，故我不任詣彼問疾。」

佛告長老須菩提：「汝行詣維摩詰問疾。」

須菩提白佛言：「我不堪任詣彼問疾。所以者何？憶念我昔入其舍欲乞食，時維摩詰取我鉢盛滿飯，謂我言：『設使賢者，於食等者，諸法得等，諸法等者，得衆施等。如是行乞，為可取彼。若賢者不絕婬怒癡，亦不與俱一切常，若不知已身，已得一行，為非不明，非趣有愛，非得明度，亦非極罪，正解已解，不解不縛，不四諦見，非不見諦，不得道，不凡人，不凡法語，不為真非不真，一切無法行離法之想，不見佛不聞法，是亦有師。不蘭迦葉、摩訶離瞿耶、婁阿夷耑基耶、今離波、休迦旃先、比盧特尼犍子等，又賢者！彼師說猗為道，從是師者，為住諸見，為墮邊際，不及佛處，為歸八難，為在衆勞，不信之垢，不得離生死之道。然其於衆人，亦為他人想。若，賢者！為他人想如彼者，則非祐除也。其施賢者，為還衆魔共一手，作衆勞侶；於一切人若影想者，其住如謗諸佛、毀諸經，不依衆*終，不得滅度矣。當以如是行取乞耶？』

「時我，世尊！得此惘然不識是何言，當何說，便置鉢出其舍。維摩詰言：

『唯！須菩提！取鉢勿懼。云何賢者如來以想而言說乎？何為以懼？』我言：『不也！』維摩詰言：『想為幻而自然，賢者不曰一切法、一切人皆自然乎？至於智者，不以明著，故無所懼，悉捨文字，於字為解脫。解脫相者，則諸法也。』當其，世尊！說是語時，二百天人得法眼淨，故我不任詣彼問疾。」

佛告頒耨文陀尼子：「汝行詣維摩詰問疾。」

頒耨白佛言：「我不堪任詣彼問疾。所以者何？憶念我昔在他方大樹下，為阿夷行比丘說死畏之法。時維摩詰來謂我言：『欲何置此人？何以教此比丘？無乃反戾此摩尼之心，是已為下正行，又不當以不視人根而說其意也。當取使無瘡，莫便內坏於竈，在大生死，可使入迹，莫專*道以自守之*正。又此，賢者！諸比丘在大道已有決，如何忘其道意，而發起以弟子行乎？』

「是時，維摩詰即如其像三昧正受，念是比丘宿命，已於五百佛立德本，在無上正真道已分布，因其道意而為解說。即時諸比丘稽首禮維摩詰足，已為說如是法，皆得不退轉，自從是來，我念弟子未觀察人者，不可為說法。所以者何？

不能常定意根，原知本德，如佛世尊，故我不任詣彼問疾。」

佛告長老迦旃延：「汝行詣維摩詰問疾。」

迦旃延白佛言：「我不堪任詣彼問疾。所以者何？憶念昔者佛為兩比丘粗現軌迹，已便入室，吾於後為其說經中要，言無常之義，苦義、空義、非身之義。時維摩詰來謂我言：『惟！迦旃延！無以待行有起之義為說法也。若賢者都不生、不*憎生、不起、不滅，是為無常義。五陰空無所起，以知是是苦義。於我不我而不二，是非身義。不然不滅，為都滅終始，滅是為空義。』彼說是時，其比丘本漏意解，故我不任詣彼問疾。」

佛告長老阿那律：「汝行詣維摩詰問疾。」

阿那律白佛言：「我不堪任詣彼問疾。所以者何？憶念我昔於他處經行，見有梵天名淨復淨，與千梵俱來詣我，稽首作禮問我言：『幾何阿那律天眼所見？』我答言：『仁者！吾*視三千大千佛國，如於掌中觀寶冠耳。』時維摩詰來謂我言：『云何賢者！眼為受身相耶？無受相耶？假使有受身相，則與外五通等；

若無受相，無受相者，無計數則不有見。』

「我時默然，彼諸梵聞其言，至未曾有，即為作禮而問言：『世孰復有天眼？』維摩詰言：『有佛世尊常在三昧，禪志不戲，悉見諸佛國，不自稱說。』於是衆中五百梵，具足發無上正真道意已，皆忽然不現，故我不任詣彼問疾。」

佛告長老優波離：「汝行詣維摩詰問疾。」

優波離白佛言：「我不堪任詣彼問疾。所以者何？憶念昔者，有兩比丘未踐迹，以為恥，將詣如來，過問我言：『吾賢者！未踐迹誠以為恥，欲往見佛，願賢者解其意。』吾則為之，現說法語。時維摩詰來謂我言：『唯！優波離！莫釋以所誨而詭其行也。又賢者！未踐迹者，不內住、不外計，亦不從兩間得。所以者何？此本為如來意，欲為勞人執勞，惡意已解，意得依者，亦不內、不外、不從兩間得。如其意然，未迹亦然，諸法亦然，轉者亦然。如，優波離！意之淨，以意淨意為解，寧可復污、復使淨耶？』我言：『不也！』維摩詰言：『如性淨與未迹，一切諸法、一切人意從思有垢，以淨觀垢無倒，與淨亦我垢等，穢濁與淨性，淨性與起分，一無所住。又一切法可知見者，如水月形，一切諸法從意生形，其知此者是為奉律，其知此者是為善解。』

「於是兩比丘言：『上智哉！是優波離。所不及也，持佛上律而不能說。』我答言：『自捨如來，未有弟子及菩薩，辯才析疑如此聰明者也。』兩比丘疑解，便發無上正真道意，復言曰：『令一切人得辯才之利皆如是。』故我不任詣彼問疾。」

佛告賢者羅云：「汝行詣維摩詰問疾。」

羅云白佛言：「我不堪任詣彼問疾。所以者何？憶念昔時諸長者子來禮我足，問我言：『羅云！汝佛之子，捨轉輪王，出家為道。其出家者，有何榮冀？』我即為如事說沙門之榮冀。時維摩詰來謂我言：『羅云！說沙門之榮冀，不當如賢者所說。所以者何？匪榮匪冀，故為沙門為道者。羅云！離此彼中，迹於泥洹，受諸明智，招諸聖賢，降伏衆魔，入五道，淨五眼，受五力，立五根，度彼岸化異學，為正導拯淤泥，為無我、無彼受，無起隨順，絕諸忿亂，降己志、護彼意，滅種姓、開大學。為是故，作沙門，當教是諸童子此自然法，佛興難值。』

「諸童子言：『居士！我聞佛不教人違親為道。』維摩詰言：『然！當觀清淨發菩薩意，已應行者，可得去家，堅固之志。』即時三十二長者子，皆發無上正真道意，故我不任詣彼問疾。」

佛告賢者阿難：「汝行詣維摩詰問疾！」

阿難白佛言：「我不堪任詣彼問疾。所以者何？憶念昔時世尊身小中風，當用牛湩。我時晨朝入維耶離，至大姓梵志門下住。時維摩詰來謂我言：『賢者阿難！何為晨朝持鉢住此？』我言：『居士！佛身小中風，當用牛湩，故我到此。』維摩詰言：『止！止！唯！阿難！莫作是語。如來身者，金剛之數，眾惡已斷，諸善普會，當有何病？默往！阿難！勿謗如來，慎莫復語，無使大尊神妙之天得聞此也。他方佛國諸會菩薩*具得聞焉。且夫阿難！轉輪聖王，用本德故，尚得自在，豈況一切施德於人，而為如來、至真、等正覺無量福會普勝者哉！行矣！阿難！勿為羞恥，莫使外道異學聞此麁言：「何聞我師自疾不能救，安能救諸疾人所欲？」疾行！莫復宣言！當知，阿難！如來法身非思欲身，佛為世尊，過諸世間，佛身無漏，諸漏已盡，佛身無數，衆行已除，其病有以。』

「時我，世尊！大自慚懼，得無近佛而過聽，即聞空中聲曰：『是阿難！如居士之所言，但為佛興於五濁之世故，以是像開解一切貪貧之行。便行！阿難！取湩莫慚。』故我不任詣彼問疾。」

如是上首五百弟子，皆說本所作，一切向佛稱述維摩詰之美言。

菩薩品第四[6]

於是佛告彌勒菩薩：「汝行詣維摩詰問疾。」

彌勒白佛言：「我不堪任詣彼問疾。所以者何？憶念我昔於兜術天上，為諸天人講法語，說菩薩大人不退轉地之行。時維摩詰來謂我言：『卿彌勒！在一生補處，世尊所莂無上正真道者，為用何生得？彌勒！決用過去耶？當來耶？現在耶？⊙過去者生盡，未來無對，現在無住。如佛說冥生比丘曰：「是生、是老、是病、是死，是終、是始，及未生與當生，此兩者非無生耶？」由是論之，不從無生得最正覺。然則何用記？彌勒！決從如起耶？從如滅耶？夫如者，不起不滅，一切人皆如也，一切法亦如也，衆聖賢亦如也，至於彌勒亦如也。所記莂無上正真道者，則一切人為得決矣。所以者何？如者不稱為己，亦無他稱說。如彌勒成最正覺者，一切人民亦當從覺。所以者何？一切人民，當從覺道故。如彌勒滅度者，一切人民亦當滅度。所以者何？如來者，不捨衆人獨滅度也，必當滅度諸凡夫故。卿彌勒！與天人談，莫為非時，佛者無往，亦無還返。若彌勒！此諸天人念欲見道，則為穿行道，不從身，不從正覺，亦不從意也。都滅哉！佛一切如化；無比哉！佛一切造業；無為哉！佛一切不惑；以斷哉！佛一切遠離；無欲哉！佛於諸受盛；不雜哉！佛都以一智兼；樂哉！佛衆所思樂；無言哉！佛諸著不著；住哉！佛以法情住；普入哉！佛自然如也；不二哉！佛二法已離；立哉！佛積誠信；等哉！佛如空等；無數哉！佛離起分處；知彼哉！佛衆意行知；上哉！佛諸入不貪；不會哉！佛近獄勞斷；聖師哉！佛以無比化將導一切；非現名哉！

佛已諦見；無色哉！佛淨穢已離；順哉！佛本性已清；明哉！佛自然已淨；無受哉！佛衆網已裂；不多哉！佛諸法等覺；無喻哉！佛色好已捨；妙哉！佛所覺甚遠。』

「當其，世尊！說是法時，彼諸天衆二百天人皆得不起法忍，故我不任詣彼問疾。」

佛告光淨童子：「汝行詣維摩詰問疾。」

光淨白佛言：「我不堪任詣彼問疾。所以者何？憶念我昔出維耶離大城，時維摩詰方入城，我即為作禮而問言：『居士所從來？』答我言：『吾從道場來。』我問：『道場者，何所是？』言：『道場者，無生之心是，檢一惡意故；淳淑之心是，習增上故；聖賢之心是，往殊勝故；道意之心是，不忘捨故；布施之心是，不望報故；持戒之心是，得願具故；忍辱之心是，不亂衆人故；精進之心是，無退意故；禪思之心是，意行出故；智慧之心是，慧眼見故；慈心則是，為等意故；悲心則是，為忍苦故；喜心則是，以法樂⊙人故；護心則是，為隨導捨著故；神通之心是，得六通故；惟務之心是，無恚怒故；滅心則是，度人民故；四*恩之心是，合聚人故；多聞之心是，從受成故；不生之心是，如自然觀故；道品法心是，不著數不墮故；諦心則是，諸世間報已不積故；緣起之心是，以不明、不可盡，至於老死皆無盡故；衆勞之靜是，佛從是，最正覺故；衆生之心是，以人物自然故；諸法之心是，從空最正覺故；伏諸魔心是，以不傾動故；三界之場是，雖處不墮欲故；師子座場是，善勝無畏故；力無畏場是，一切無難故；三達之智是，無餘罣礙故；一意覺場是，一切智普具故。如是，仁者！菩薩若應諸度無極，如應化人，如應受法已，得本祠護不墮欲者，是為一切從佛心來，立於一切佛法矣。』

「當其世尊說是語時，有五百天與人發無上正真道意，故我不任詣彼問疾。」

佛告持人菩薩：「汝行詣維摩詰問疾。」

持人白佛言：「我不堪任詣彼問疾。所以者何？憶念我昔自於室住，天魔波旬從玉女萬二千，狀如帝釋，鼓樂弦歌，來詣我室，稽首我足，與其眷屬共供養我已，於一面住。我意謂是天帝釋，讚言：『善來！拘翼！雖福應有不當自恣，一切欲樂當觀非常、無強多失，當修德本。』魔言：『正士！受是取此萬二千女，可備掃灑。』我言：『拘翼！無以此妖蠱之物，要我釋迦弟子，此非我宜。』

「時維摩詰來謂我言：『族姓子！莫於是起污意，是為魔來嬈固汝耳，非帝釋也。』維摩詰言：『波旬！以此與我，如我應受，莫與釋迦弟子。』魔即恐懼，念維摩詰必不助我，欲隱形去而不能隱，盡現其神，了不得去，而聞空中聲曰：『波旬！以玉女與之，乃可得去。』魔以畏故，強與玉女。

「維摩詰言：『魔以女與我，今汝當發無上正真道意。』諸玉女言：『其已如是從道之教，發大道意者，當何以自娛樂？』答言：『汝等便發無上正真道意，有樂法之樂可以自娛，汝等得之不復樂欲樂也。』即問：『何謂法樂？』維摩詰言：『樂於喜不離佛，樂於諦聞法，樂常供養眾，樂不倚三界，樂於三界不嫉，樂知欲無常，樂觀種為毒蛇，樂隨護道意，樂安諸人物，樂以禮敬人，樂施諸所有，樂奉真人戒，樂忍調不忍，樂精進力知行德本，樂禪善行，樂智慧淵，樂廣宣佛，樂抑制魔，樂化塵勞，樂佛國淨，樂以相好合會教化，樂嚴道場，樂三脫門，樂泥洹道，樂入深法，不樂非時，樂習自然人，不樂怨不諦，樂習善友，樂遠惡友，樂於好喜，樂無有量道品之法，是為菩薩樂法之樂，而以自娛。』

「『於是波旬謂諸玉女：『我欲與汝俱還天上。』曰：『以我等與此居士，樂法之樂，我等甚樂，非復樂欲樂也。』波旬言：『可捨，居士！此諸玉女，已其所有施於彼者，是為菩薩。』維摩詰言：『我已捨矣，汝便將去，使一切人遵承法行，所願皆得。』

「諸玉女即作禮而問言：『我當云何止於魔天？』維摩詰言：『諸姊！有天名曰無盡，常開法門，當從彼受。何謂無盡*常開法門者？譬如一燈燃百千燈，冥者皆明，明終不盡。如是，諸姊！夫一菩薩以道開導百千菩薩，其道意者，終不盡耗，而復增益，於是功德不以導彼彼故，而有盡耗，是故名曰無盡常開法門。汝等當從其受。魔界無數天子玉女，未有可此道意如汝等者，於如來為有返復法。』

「為一切人說已，魔⊙與眷屬皆去，維摩詰所感動如是。世尊！故我不任詣彼問疾。」

佛告長者子善見：「汝行詣維摩詰問疾。」

善見白佛言：「我不堪任詣彼問疾。所以者何？憶念我昔在諸父舍，盛祀大*祠至于七日。時維摩詰來入*祀壇，謂我言：『長者子！不當祀祠如衆人祠，當祀法祠，何用是思欲祠為？』我問：『何如為法之祠祀？』維摩詰言：『其為祠者，無本行故，敬*侍衆人，是則法祠，為之奈何？謂為佛事，不斷慈；為人事，不斷悲；為法事，不斷喜；為慧力，不斷護；為布施，不斷檀；戒化人，不斷律；知非我，不斷忍；身意行，不斷精進；惟道事，不斷禪思；為博聞，不斷智慧；若無施，不斷惟空；行俗數中，不斷無*相；在所墮生，不斷無願；護持正法，不斷力行；以恩會人，不斷壽命；知人如如，不斷謙敬；堅其德本，不斷命財；為六思念，不斷其念；行六堅法，不斷學意；修正受，不斷淨命；行好喜，不斷習真；斷意不生，不斷愚人；為沙門，不斷正性；善諷受，不斷聞德；山維摩詰言：「勞乎！文殊師利！不面在昔辱來相見。」

文殊師利言：「如何？居士！忍斯種作疾，寧有損不至增乎？世尊慇懃致問無量，興起輕利遊步強耶？居士是病，何所正立？其生久如？當何時滅？」

維摩詰言：「是生久矣！從癡有愛，則我病生，用一切人病，是故我病。若一切人得不病者，則我病滅。所以者何？欲建立衆人故，菩薩入生死為之病，使一切人皆得離病，則菩薩無復病。譬如長者有一子得疾，以其病故，父母諸父為之生疾，其子病愈，父母亦愈。菩薩如是，於一切人愛之若子，彼人病我則病，彼不病則不病。」

又言：「菩薩病何所立？」

「菩薩病者，以大悲立。」

文殊師利言：「何以空無供養？」

維摩詰言：「諸佛土與此舍，皆空如空。」

又問：「何謂為空？」

答曰：「空於空。」

又問：「*空何為空？」

答曰：「空無與之為空空。」

又問：「空復誰為？」

答曰：「思想者也，彼亦為空。」

又問：「空者當於何求？」

答曰：「空者，當於六十二見中求。」

又問：「六十二見當於何求？」

答曰：「當於如來解脫中求。」

又問：「如來解脫者，當於何求？」

答曰：「當於衆人意行中求。又仁所問：『何無供養？』一切衆魔皆是吾養，彼諸轉者，亦吾養也。所以者何？魔行者受生死，生死者則菩薩養，彼轉者受諸見，菩薩於諸見不傾動。」

，謂內見、外見是無所得。

「此，文殊師利！為疾菩薩其意不亂，雖有老死，菩薩覺之，若不如是，已所修治為無惠利，譬如勝怨乃可為勇，如是兼除老死苦者，菩薩之謂也。菩薩若病，當作是觀：如我此病，非真非有，亦是衆人非真非有，已觀如是不墮妄見，以興大悲，彼必來者，為斷其勞，以合道意為彼大悲。所以者何？菩薩墮妄見，其大悲者有數出生，不墮妄見。大悲菩薩不以數生，彼生為脫，為脫所墮，為脫出生，為脫受身，能為彼人說佛、說法是其誓也。如佛言曰：『其自安身不解彼縛，不得是處而自安身，又解彼縛斯得是處。』故曰已脫菩薩，其行不縛。何謂縛？何謂解？菩薩禪定以縛諸我，以道縛我。縛者，菩薩以善權生五道解彼受，菩薩無權執智縛，行權執智解，智不執權縛，智而執權解。彼何謂無權執智縛？謂以空、無相、不願之法生，不治相及佛國以化人，是無權執智之縛也。何謂行權執智解？謂修相及佛國開化人，而曉空、無相、不願之法生，是行權執智之解也。何謂智不執權縛？謂以見行勞望受，立修行一切德善之本，是智不執權之縛也。何謂智而執權解？謂斷諸見行勞望之受，以殖衆德之本，而分布此道，是智而執權之解也。

「彼有疾菩薩已如是*解此法，設身有病，觀其無常為苦、為空、為非身，是為智慧。又身所受，不以斷惡生死，善利人民，心合乎道，是為權行。又若身病知異同意，彼過非新，則觀其故，是為智慧。假使身病不以都滅，所當起者是為權行。

「是文殊師利！為疾菩薩其意不亂，亦不高住。所以者何？若高住者，是愚人法；以卑住者，是弟子法。故菩薩住不高不卑，於其中無所處，是菩薩行。不凡夫行，不賢夫行，是菩薩行。在生死行，不為污行，是菩薩行。觀泥洹行，不依泥洹，是菩薩行。行於四魔，過諸魔行，是菩薩行。博學慧行，無不知時之行，是菩薩行。於四諦行，不以諦知行，是菩薩行。觀無生行，不謂難至，是菩薩行。在緣起行，於諸見而無欲，是菩薩行。在諸人衆無勞望行，是菩薩行。在閑居行，不盡身意，是菩薩行。於三界行，不壞法*性，是菩薩行。為空無行，一切衆事清德皆行，是菩薩行。行六度無極，為衆人意行而度無極，是菩薩行。行六神通，不盡漏行，是菩薩行。受道之行，不興小道，是菩薩行。以止觀知魔行，不滅迹行，是菩薩行。於弟子、緣一覺所不應不現行，不為毀佛法行，是菩薩行。」

說是語時，八千天人發無上正真道意，文殊師利童子甚悅。

賢者舍利弗，心念：「無床座，是菩薩大弟子當於何坐？」

維摩詰知其意，即謂言：「云何賢者為法來耶？求床座也。」

舍利弗言：「居士！我為法來，非利所安。」

維摩詰言：「唯！賢者！其利法者，不貪軀命，何況床座。唯！舍利弗！夫利法者，非有色、痛、想、行、識求，非有陰、種、諸入之求，非有欲、色、無色之求。唯！舍利弗！夫求法者，不著佛求，不著法求，不著衆求。又，舍利弗！夫求法者，無知苦求，無斷習求，無造盡證惟道之求。所以者何？法無放逸，有放逸法，當知苦習，當為盡證以惟致道。斯求法者，無放逸之求*法也☆。舍利弗！無有塵離婬塵，其染污者，即為在邊。斯求法者，無婬樂之求*法也。舍利弗！無有壃界，在壃界者，則有分數。斯求法者，無壃界之求也。法無不淨，在不淨者，於法有取有放。斯求法者，無取放之求也。法無巢窟，有法者則為有窟。斯求法者，無窟倚之求也。法無有想，在占想者，則為堅識。斯求法者，無占想之求也。法無有漏，在流法者，為一切近。斯求法者，無一切之求也。法無見聞、無念、無知，於法有見聞念知者，則為已別。斯求法者，為無見聞之求也。是故，舍利弗！求法者，一切法唯無求也。」

說是語時，五百天人諸法法眼生。

⑥不思議品第六

於是維摩詰問文殊師利：「仁者！遊於無量無數佛國億百那術，何等佛土為一切持一切有好師子之座？」

文殊師利言：「有！族姓子！東方去此佛國度如三十六恒沙等剎，其世界名須彌幡，其佛號須彌燈王如來、至真、等正覺，今現在。其佛身八萬四千由延。佛師子座六萬八千由延，其菩薩身四萬二千由延，須彌幡國有八百四十萬師子之座。彼國如來為一切持，其師子座為一切嚴。」

於是維摩詰則如其像三昧正受現神足，應時彼佛須彌燈王如來，遣三萬二千師子座，高廣淨好，昔所希見。一切弟子、菩薩、諸天釋、梵、四天王來入維摩詰舍，見其室極廣大，悉*包容三萬二千師子座，所立處不迫迮，於維耶離城無所罣礙，於佛所止及四天處無所罣礙，悉見如故，若前不減。

維摩詰言：「文殊師利！就師子座！與諸菩薩上人俱坐，當自立身如彼座像。」其得神通菩薩，即自變形為四萬二千由延，坐師子座。其邊菩薩、大弟子，皆不能昇。

維摩詰言：「唯！舍利弗！就師子座。」

舍利弗言：「族姓子！此座為高廣，吾不能昇。」

維摩詰言：「賢者！為須彌燈王如來作禮，然後可坐。」

於是邊菩薩、大弟子，即為須彌燈王如來作禮，便得坐師子座。

舍利弗言：「未曾有也！族姓子！如是小室，乃容受此高廣之座，於維耶離城無所罣礙，於佛所止及四天處無所罣礙，於諸國邑、天龍神宮，亦無罣礙。」

維摩詰言：「唯然！舍利弗！諸如來諸菩薩有*入不思議門，得知此門者，以須彌之高廣入芥子中，無所增減，因現儀式，使四天王與忉利天，不知誰內我著此。而異人者，見須彌入芥子，是為入不思議壇界之門也。

「又，舍利弗！立不思議門菩薩者，以四大海水入一毛孔，不嬈魚鼈、黿鼉水性之屬，不使龍鬼神、阿須倫、迦留羅知我何入，因喻儀式，其於衆生無所嬈害。

「又，舍利弗！於是三千世界，如佛所斷，以右掌排置恒沙佛國，而人不知誰安我往。又引還復故處，都不使人有往來想，因而現儀。又，舍利弗！有無量人生死奉律，立不思議門菩薩者，為奉律人現七夜為劫壽，人信知謂劫過，不知是七夜也。

「又，舍利弗！立不思議門菩薩者，現諸剎好以為一剎，立一切人置其右掌，順化其意，與遊諸剎，令如日現，不震一國，從是禮事十方諸佛。又令一切人從一毛孔見十方諸日月星像，十方陰冥，皆隨入門，既無所害。又使佛國所有不滅，一切曠然，各得修行。又能蹶取下方恒沙等剎，舉置殊異無數佛土，若接頹*坑安措⊙陸地。

「又立不思議門菩薩者，為一切人故，如佛像色貌立以立之，如緣一覺像色貌立以立之；如弟子像色貌立以立之；或如釋、如梵、如轉輪王像色貌立以立之；隨十方語言音聲上中下之所願，一切以佛柔軟音響而誘立之。為出佛語無常、苦、空、非身之聲，以如事說諸佛法言出是輩聲。」

於是耆年大迦葉，聞說菩薩不思議門，謂舍利弗言：「譬如賢者！於凡人前現眾名香，非彼所見，則不能知，為若此也。今諸弟子聞是語者，可一時見不思議作，其誰聞此不思議門，不發無上正真道者？於此，賢者！吾等何為永絕其根，於此大乘，已如敗種。一切弟子聞是說者，當以悲泣曉喻一切三千世界，其諸菩薩可悅預喜，如是說當頂受。若曉了不思議門者，一切魔衆無如之何。」

大迦葉說是語時，三萬二千天人皆發無上正真道意。

維摩詰報大迦葉言：「唯然！賢者！十方無量無央數魔、魔怪，賢者！悉行恐怖立不思議門菩薩者，常解度人，魔之所為十方無量。或從菩薩求索手足、耳鼻、頭眼、髓腦、血肉、肌體、妻子、男女、眷屬，及求國城、墟聚、財穀、金、銀、明月、珠玉、珊瑚、珍寶、衣裘、飲食一切所有，皆從求索。立不思議門菩薩者，能以善權為諸菩薩方便，示現堅固其性。所以者何？菩薩者，當上及不可使凡民逼迫之也，譬如，迦葉！龍象蹴踏，非驢所堪，為若此也，其餘菩薩莫能為。菩薩忍逼猶如此，立不思議門菩薩入權慧力者也。」

維摩詰經卷上

維摩詰經卷下

吳月氏優婆塞支謙譯

觀人物品第七

於是文殊師利問維摩詰言：「菩薩何以觀察人物？」

答曰：「譬如幻者見幻事相，菩薩觀人物為若此。譬如達士見水中月，菩薩觀人物為若此。譬如明鏡見其面像，菩薩觀人物為若此。取要言之，如熱時之焰，如呼聲之響，如空中之霧，如地、水、火、風、空，如諸情同等，如無像之像，如真人斷三垢，如溝港見自身，如如來諸所有，如所見諸色像，如得盡定無身不身，如空中之鳥無跡，如蟲蚤之根自然，如夢所見已寤，如未生塵，如真人現，菩薩觀人物為若此也。」

文殊師利曰：「如是觀者，何以行慈？」

答曰：「如是觀人，人物為幻，知法亦然。而為說法以慈修止，止而慈者，為無所起，行不嬈慈，以無瑕穢；行等之慈，等于三塗；行無諍慈，無所止處；行不二慈，內外無習；行不怒慈，為都成就；行牢強慈，強若金剛，莫能沮壞；行清白慈，內性已淨；行平等慈，平若虛空；行如來慈，如本隨覺；行佛之慈，覺諸凡人；行自然慈，以自覺正；行道之慈，同其所味；行無比慈，能卻眾惡；行大悲慈，導以大乘；行不視慈，其視如空；行布施慈，無所遺忘；行戒以慈，與惡戒眼；行忍以慈，彼我皆護；行精進慈，荷負眾人；行一心慈，思所當念；行智慧慈，而以知時；行善權慈，一切現聞；行不諂慈，意淨無求；行不飾慈，心無所著；行不我慈，無復惡意；行安慰慈，至于得佛。為立大安，菩薩之慈為若此也。」

文殊師利又問：「何謂為悲？」

曰：「所造德本，修辯為人。」
「何謂為喜？」
曰：「所以施衆而無悔。」
「何謂為護？」
曰：「兼利之。」
又問：「生死為畏，菩薩何以御之？」
曰：「生死畏者，菩薩以聖大之意，為之作御。」
又問：「欲建聖大，當何所立？」
曰：「建聖大者，必等一切而度衆生。」
又問：「欲度衆生，當何除解？」
曰：「度衆生者，解其勞塵。」
又問：「既解勞塵，當復何應？」
曰：「已解勞塵，當應自然。」

又問：「何所施行，而應自然？」
曰：「不起不滅，是應自然。」
又問：「何等不起？何等不滅？」
曰：「不善不起，善者不滅。」
又問：「善、不善孰為本？」
曰：「善、不善身為本。」
又問：「身孰為本？」
曰：「欲貪為本。」
又問：「欲貪孰為本？」
曰：「不誠之雜為本。」
又問：「不誠之雜孰為本？」
曰：「不住為本。如是，仁者！不住之本無所為本，從不住本立一切法。」
於是有天在其室止，聞上人言，現其天身，即以天華散諸菩薩、大弟子上。

華至諸菩薩即如應若持，至大弟子，即著不墮，一切弟子神足舉華，便不墮落。

天問舍利弗：「何故舉華？」

曰：「不如應，是以舉之。」

天曰：「不然！此華如應，何為賢者謂之不應？又如此華無應不應，賢者自為應不應耳。觀諸大人華不著身者，以一切棄應不應也。譬如丈夫畏時，非人得其便，弟子畏生死故，色、聲、香、味細滑得其便，已離畏者，一切五樂無能為也，止處未斷，華著身耳，止處斷者，華不著也。」

舍利弗言：「天止此室，其已久如？」

曰：「至於此久，如耆年解脫。」

又問：「止此久耶？」

曰：「耆年解脫，亦何如久？」

舍利弗默而不答。

天曰：「如何耆舊大智而默？」

曰：「真解者無所言取，故吾於是不知所云。」
天曰：「若耆年案文言之，則一切如文解⊙脫相。何則解脫者，不內、不外、不從兩間得，而文字亦無內、外兩間之得。是故，賢者！無以文字說解脫也。所以者何？一切諸法皆從等解。」
曰：「不復以不欲婬、怒、癡而解乎？」
天曰：「甚慢者，不用是說解，如不樂慢，婬怒癡者乃以是解。」
舍利弗言：「善哉！善哉！天女！奚得以何為證辯乃如是？」
曰：「不我得，不為證，故辯如是。若有得、有證則於自然法律為甚慢矣！」
舍利弗問天：「汝於三乘，為何志求？」
天曰：「弟子行者，乘弟子法，緣一覺行眼見道意，求大乘者自行大悲，如入栴檀林者，唯嗅栴檀，不嗅他香。如是，賢者！在佛德香之室者，不樂弟子、緣一覺香。若天、龍神、釋、梵四天王得入此室，聞斯正士講說法者，皆樂佛美德香，終不起欲樂香也。昔者菩薩發意出家，十有二年吾止此室，不聞弟子、緣一覺之雜言，但聞殊異菩薩雜語，大慈大悲不可思議佛法積要。

「又，舍利弗！此室有八未曾有自然之法，以現正化。何謂八？此室晝夜照以智慧，覩佛金光，不以日月所照為樂，是為一未曾有。此室入者，在中而止，一切無復婬、怒、癡垢，是為二未曾有。此室恒有釋、梵、四天王、異刹菩薩來會不休，是為三未曾有。此室常聞講說道，化六度無極不退之輪，法語不廢，是為四未曾有。此室天人恒歌正樂，絃出無量法化之聲，是為五未曾有。此室其中有四大藏衆寶積滿，周窮濟乏，求得無盡，是為六未曾有。此室釋迦文，阿閦佛、寶首、樂忻、寶月、寶淨、無量、固受、師子響、慧作斯，彼諸如來等，是正士念時說時，彼佛即為來，來說佛行無不悅懌，是為七未曾有。此室清淨常見諸天名好宮室，及一切佛嚴淨之土，是為八未曾有自然之法。如是，賢者！此常見正誰已見此，當復捨學弟子法乎？」

舍利弗問天：「汝何以不轉女人身？」

天曰：「滿十二歲，始以女人形求而得之。夫女人相猶幻事也，故女人為幻觀世如類，而云何以轉女人身？」
舍利弗言：「觀諸有身皆無所成。如是，賢者！一切諸法亦無所成，奚為復問何轉女身？」
於是其天即以神足，立舍利弗令如天像，天自化身如舍利弗。既現化，而問曰：「云何賢者轉為此女像？」
舍利弗以天女像而答曰：「不識吾何以轉成此女像也。」
天曰：「賢者！若能轉此女像，則衆女人身可轉，若其不女于女身亦不見者，則衆女人雖女身，為非女非見也。又如佛言：『一切諸法非女非男。』」
即時舍利弗身復如故，天曰：「賢者！何緣作此女相？」
曰：「吾不作，非不作。」
天曰：「如是，賢者！諸法亦非作、非不作，夫不作非不作者，佛所說也。」
舍利弗問天：「汝沒此，當於何生？」
天曰：「佛化所生，吾如彼生。」

曰：「如佛化生，非沒生也。」
天曰：「眾生猶然，亦不見其沒生者也。」
曰：「天久如能成無上正真道最正覺乎？」
曰：「久猶凡民之普得法，乃吾成最正覺。」
曰：「云何凡民之普得法者，無乃非處乎？」
天曰：「其為無上最正覺者非有處也，所以者何？佛無所立，故曰無所於最正覺者。」
舍利弗言：「今諸佛最正覺及其已正覺與當正覺者，如江河沙皆謂何乎？」
曰：「此以文數為讀者耳，非謂道有去、來、今也。夫三塗等且如，賢者得道云何？」
曰：「所得者，為不惑耳。」
天曰：「如是，賢者！吾成佛者，亦以為彼未正覺故。」
爾時，維摩詰謂賢者舍利弗言：「是天已奉事九十二億佛，神通之智已解了，所願普具法忍已得，已不退轉，願行如言所欲能現。」

維摩詰經如來種品第八

文殊師利問曰：「何謂，族姓子！菩薩所至到處與有佛法？」

維摩詰言：「其來往周旋，有智慧與有佛法，菩薩來往，為之奈何？其至五無間處，能使無諍怒。至地獄處，能使除冥塵。至於畜生處，則為除闇昧，能使無慢。求入餓鬼道，一切以福，隨次合會。至無智處，不與同歸，能使知道。在怒害處，為現仁意，不害眾生。在憍⊙慢處，為現橋梁，合聚度人。在塵勞處，為現都淨，無有勞穢。如在魔道，則能使其覺知所緣。在弟子道，所未聞法，令人得聞。在緣一覺道，能行大悲，坐而化人。入貧窶中，則為施以無盡之財。入鄙陋中，為以威相嚴其種姓。入異學中，則使世間一切依附。遍入諸道，一切能為解說正要，至泥洹道，度脫生死如無絕已，是為菩薩來往周旋所入諸道，能有佛法。」

於是維摩詰又問文殊師利：「何等為如來種？」

答曰：「有身為種，無明與恩愛為種，婬、怒、癡為種，四顛倒為種，五蓋為種，六入為種，七識住為種，八邪道為種，九惱為種，十惡為種，是為佛種。」

曰：「何謂也？」

文殊師利言：「夫虛無無數不能出現住發無上正真道意，在塵勞事未見諦者，乃能發斯大道意耳。譬如，族姓子！高原陸土，不生青蓮芙蓉衢華，卑濕污田，乃生此華。如是，不從虛無無數出生佛法，塵勞之中乃得眾生而起道意，以有道意則生佛法，從自見身積若須彌，乃能兼見而起道意，故生佛法。依如是要，可知一切塵勞之疇，為如來種。又譬如人不下巨海，能舉夜光寶耶？如是不入塵勞事者，豈其能發一切智意。」

賢者大迦葉言：「善哉！善哉！文殊師利！快說此言，誠如之意塵勞之疇，為如來種，奚但身見能發無上正真道乎？雖以五無間具，猶能發斯大道意而具佛法矣。已得羅漢為應真者，終不能復起道意而具佛法也。如根敗之士，其於五樂不能復利，如是弟子雜行已斷，其於佛法不樂、不利、無復志願，是以凡夫於佛法為有反復，如弟子無有。所以者何？凡夫聞佛法能起大道，不斷三寶，使夫弟子終身聞佛法力、無所畏，非復有意起大道也。」

於是眾中有坐菩薩字眾像見，問維摩詰言：「居士！父母、妻子、奴客、執事安在？朋友、親戚、徒隸、為誰群從？所有象馬、車乘、皆何所在？」

爾時，長者維摩詰答眾像見，而說頌曰：

母智度無極，　父為權方便，　菩薩由是生，　得佛一切見。
樂法以為妻，　悲慈為男女，　奉諦以降調，　居則思空義。
學知一切塵，　其生隨所欲，　上道為親友，　覺意而不著。
我徒勇而果，　群從度無極，　四恩當女事，　樂以歌道德。
總持為苑囿，　覺華甚奇快，　厥實度知見，　彼樹法林大。
八解之浴池，　正水滿其淵，　淨葉眾如殖，　浴此無垢塵。
參駕五通馳，　大乘難過踰，　調御以道意，　八道*逌忘憂。

相具以嚴容，　眾好飾其姿，　慚愧免行成，　華鬘謂不疑。
七寶貨之大，　求者兼與法，　得報利弘多，　隨布分斯道。
守如禪解教，　無恚清淨道，　以是依諸佛，　常勇志不搖。
是食甘露者，　以解味為漿，　不慢不疑淨，　戒品為塗香。
在彼眾塵埃，　勇犍莫能勝，　降伏一切魔，　咸使至道場。
其於所*隨生，　都已無惑根，　為現諸剎土，　將護度眾塵。
供養億如來，　奉諸三界將，　不我則為佛，　生輒務成養。
修治佛土淨，　訓化諸群生，　由是得最*利，　無人人所行。
一切民萌類，　聲響及眾變，　一時能盡現，　菩薩樂精進。
邪行為順現，　隨欲牽致來，　方便度無極，　一切示軌儀。
為現勝言教，　示身終如死，　祐化諸人物，　於幻法不殆。
現劫盡乾燒，　更始生地形，　眾人有常想，　照令知無常。
正使或億千，　出之一邑里，　能悉為空舍，　安諸施以道。

如有禁呪語，嶮谷若干輩，皆為到彼度，菩薩無所畏。
世間眾道術，一切從而學，非以隨疑見，因之解人惑。
或作日月天，或為梵中尊，為地主以德，為風神亦然。
劫中有疾疫，為之設醫藥，勤恤護養安，除病消諸毒。
劫中設饑饉，則施食與漿，前救彼飢渴，却以法語人。
劫中若兵起，己為作慈利，化之以不諍，兆民得休濟。
若於大戰中，則我得巨眾，恒協用和安，菩薩力勢強。
至於有獄刑，佛土不可勝，輒至到于彼，趣使眾庶寧。
所往方教化，五道遍分明，一切生索現，此為菩薩生。
在欲示饒有，現捨而行禪，能禁制魔首，莫知孰執焉。
火中生蓮荷，是可謂希有，無比為大炬，其在欲能爾。
有民眾所聚，則為興農利，導以無貪欲，立之以佛智。
求為世間將，宗長若帝師，輔上而懷下，以此安群黎。

周惠諸貧民，　資財無有極，　因厥所布施，　勸勵起道德。
在於憍慢中，　示現作力士，　消伏諸貢高，　使立佛正道。
見人有危懼，　居前而慰安，　既施使無畏，　乃化以道真。
為五通仙人，　修治梵行事，　立眾以淨戒，　及忍和*順意。
以敬養烝民，　見者樂精進，　所有僮僕奴，　教學立其信。
隨如方便隨，　令人得樂法，　欲現一切最，　善權必深學。
無際行謂此，　是以遊無疆，　合會無邊慧，　說法無有量。

維摩詰經不二入品第九

於是維摩詰問眾菩薩曰：「諸正士所樂菩薩不二入法門者，為何謂也？」

座中有名法作菩薩，答曰：「族姓子！起分為二，不起、不生，則無有二，得不起法忍者，是不二入。」

首閉菩薩曰：「吾我為二，如不有二，不同像則無吾我，以無吾我，無所同像者，是不二入。」

不眴菩薩曰：「有受為二，如不受則無得，無得者不作淵，以無作無馳騁者，是不二入。」

首立菩薩曰：「勞生為二，為勞乘者其於生也，弗知弗樂，以過衆知而受色欲者，是不二入。」

善宿菩薩曰：「慮知為二，當以不慮不知，於諸法念作而行不念作者，是不二入。」

善多菩薩曰：「菩薩意、弟子意為二，如我以等意於所更樂，無菩薩意，無弟子意，與無意同相者，是不二入。」

善眼菩薩曰：「一相、不相為二，若都不視、不熟視、不暫視，不作一相，亦不暫相，於視不視以等視者，是不二入。」

奉養菩薩曰：「善不善為二，於善不善如無所興，是謂無想，以無想立者，而不為二，都於其中而無度者，是不二入。」

師子意菩薩曰：「一切不受為二，當如金剛而無覺知，不為愚行亦不解者，是不二入。」

勇意菩薩曰：「漏、不漏為二，如得正法則其意等，已得等者，終不為漏不漏想，亦不以無想而得，不以想受而住者，是不二入。」

淨解菩薩曰：「此有數此無數為二，若離一切數則道與空等，意都已解無所著者，是不二入。」

人乘菩薩曰：「是世間、是世尊為二，若世間意空，於其中不捨不念，不依尊上者，是不二入。」

目見菩薩曰：「盡、不盡為二，盡者都盡，都盡者不可盡，是謂無盡無所盡，故曰盡。曰盡者，無有盡，如斯入者，是不二入。」

普閉菩薩曰：「我、非我為二，如我之不得，非我何可得？於我自然而不作者，是不二入。」

明天菩薩曰：「明、不明為二，不明滋多，是故有明，若是不用不計，以作等計，於其中而平等，不以二得要者，是不二入。」

愛覲菩薩曰：「世間空耳，作之為二。色空不色敗空，色之性空，如是痛想行識、空而作之為二，識空不識敗空，識之性空，彼於五陰，知其性者，是不二入。」

光造菩薩曰：「四種異、空種異為二，空種自然，四大亦爾，本空自然，*未空自然，知此種者，是不二入。」

善意菩薩曰：「眼色為二，其知眼者，見色不染，不怒、不癡，是謂清淨。如是耳聲、鼻香、舌味、身更、心法為二，其知心者，於法不染、不怒、不癡，是謂清淨。如此住者，是不二入。」

無盡意菩薩曰：「布施、一切智而分布為二，布施而自然，一切智亦爾。一切智自然，布施亦爾，如是持戒、忍辱、精進、一心、智慧、一切智而分布為二，智慧而自然，一切智亦爾。一切智自然，智慧亦爾。於其中而一入者，是不二入。」

深妙菩薩曰：「空異、無相異、無願異為二，如空則無相，無相則無願，無願者不意、不心、不識、不行，其以一向行衆解門者，是不二入。」

寂根菩薩曰：「佛法衆為二，佛性則法，法性則衆，一切是三寶無有數，無數則朴，朴則正諸法，樂隨此者，是不二入。」

不毀根菩薩曰：「有身與有身盡為二，有身則有盡，何則從身生見？從見有身，是故有身有毀滅雜，彼以無雜自然如滅，而不迷不惑者，是不二入。」

善斷菩薩曰：「身、口、心為二，所以者何？是身則無為之相也，如身之無為，口相亦無為，如口之無為，心相亦無為，如其心之無為，一切法亦無為。其以無二無三事者，是不二入。」

福土菩薩曰：「福與不福，為與不知為為二，於福不福，如不知為如，不有為是則無二。其於罪福不以知為如自然相，以空知者，不是福不非福，亦不無知，覺如此者，是不二入。」

首懷菩薩曰：「攀緣稱說為二，若其不攀緣則無所不善，無非善也。如無不善、無非善者，是不二入。」

月盛菩薩曰：「闇與明為二，不闇不明，乃無有二。何則？如滅定者，無闇無明，如諸法相而等入者，是不二入。」

寶印手菩薩曰：「其樂泥洹，不樂生死為二，如不樂泥洹，不惡生死，乃無有二。何則？在生死縛彼乃求解，若都無縛，其誰求解？如無縛、無解、無樂、無不樂者，是不二入。」

心珠立菩薩曰：「大道、小道為二，依大道者不樂小道，亦不習塵，無大道相，無小道相，如如想之士，無以行道者，是不二入。」

誠樂仰菩薩曰：「誠不誠為二，誠見者不見誠，奚欺偽之能見，何則？非肉眼所見也，以慧見乃而見，其以如見、無見、無不見者，是不二入。」

如是，諸菩薩各各說已，又問文殊師利：「何謂菩薩不二入法門者？」

文殊師利曰：「如彼所言，皆各*逮行，於一切法如無所取、無度、無得、無思、無知、無見、無聞，是謂不二入。」

⊙於是文殊師利說已，復問維摩詰曰：「我等各各說已，何等是仁者說不二入？」

時維摩詰默然無言。

時文殊讚曰：「善哉！善哉！乃至無文字語言，是真不二入也。」

說此不二入品時，衆中五千菩薩皆得入不二法門，具會無生法忍

維摩詰經香積佛品第十

於是賢者舍利弗心念：「日時欲過，*是諸大人當於何食？」

維摩詰知其意而應曰：「唯然！賢者！若如來說八解之行，豈雜欲食而聞法乎？要聞法者，當為先食。」

是時，維摩詰即如其像正受三昧，上方界分去此刹，度如四十二江河沙佛土，有佛名香積如來、至真、等正覺，世界曰衆香，一切弟子及諸菩薩皆見其國，香氣普薰十方佛國諸天人民，比諸佛土，其香最勝。而彼世界無有弟子、緣一覺

名，彼如來不為菩薩說法，其界一切皆以香作樓閣，經行香地，苑園皆香，菩薩飲食則皆眾香，其香周流無量世界。時彼佛諸菩薩方坐食，有天子學大乘字香淨，住而侍焉，一切大眾皆見香積如來與諸菩薩坐食。

維摩詰問眾菩薩言：「諸族姓子，誰能致彼佛飯？」皆曰不能。

即復問文殊師利：「卿！此眾中未悉了乎？」

答曰：「如佛所言，未知當學。」

於是維摩詰不起于座，居眾會前化作菩薩，光像分明，而告之曰：「汝行從此佛土度如四十二江河沙世界，到眾香剎香積佛所。往必見食，則禮佛足，如我辭曰：『維摩詰言：願得世尊所食之餘，欲於忍界施作佛事，令此懈廢之人，得弘大意，亦使如來名聲普聞。』」

即化菩薩居眾會前，上昇上方，忽然不現，舉眾皆見其去。而化菩薩到眾香界，禮彼佛足言：「維摩詰菩薩稽首世尊足下，敬問無量興居輕利，遊步康強，少承福慶，願得世尊所食之餘，欲於忍界施作佛事，令此懈廢之人得弘大意，亦使如來名聲普聞。」

彼諸菩薩皆愕然曰：「此人奚來？何等世界有懈廢人？」即以問佛。

香積報曰：「下方去此度如四十二江河沙剎，得忍世界，有佛名釋迦文[4]如來、至真、等正覺，於五濁剎，以法解說懈廢之人。彼有菩薩名維摩詰，說上法語，今遣化來，稱揚我名。」

彼菩薩曰：「其人何如，乃作是化，德力無畏，神足若斯？」

佛言：「甚大！一切世界皆遣化往，化作佛事，以立眾人。」

於是香積如來，以滿鉢香飯，一切香具，與化菩薩。時彼九萬菩薩俱發聲言：「我等欲詣忍土見釋迦文。」

彼佛報言：「往！族姓子！齎爾忍香入彼世界，無以*人故，有放逸意，自持汝所樂行，勿念彼國菩薩不如，無得於彼生廢退意而有勞想。所以者何？佛土虛空，諸佛世尊欲度人故，為現其剎耳。」

化菩薩既受飯，與諸大人，俱承佛聖旨，及維摩詰化，須臾從彼已來，在維摩詰舍。維摩詰即化為九萬師子床，嚴好如前，諸菩薩皆坐訖，化菩薩奉佛具足之飯與維摩詰，飯香一切薰維耶離，及三千大千世界皆有美香。時維耶離諸梵志、居士、尊者、月蓋等，聞是香氣，皆得未曾有自然之法，身意快然，具足八萬四千人入維摩詰舍，觀其室中，菩薩甚多，覩師子座，高大嚴好，見皆大喜，悉禮菩薩、諸大弟子，卻住一面。諸香地天人，色行天人，皆來詣舍。

維摩詰謂耆年舍利弗諸大弟子言：「賢者！可食如來之飯，惟大悲味無有限，行以縛意也。」

有異弟子念此飯少，而此大眾人人當食。化菩薩曰：「四海有竭，此飯無盡，使眾人食摶若須彌，猶不能盡，是不可盡。所以者何？無有盡戒，至于定慧，解度知見，如來之飯，終不可盡。」

於是鉢飯悉飽，眾會飯故不盡，諸菩薩、大弟子、天與人食此飯已，氣走安身，譬如一切安養國中諸菩薩也。其香所薰，毛孔皆安，亦如眾香之國，香徹八難。

於是維摩詰問衆香菩薩言：「諸族姓子！香積如來云何說法？」

彼菩薩曰：「我土如來無文字說，但以其香，而諸菩薩自入律行，菩薩各各坐香樹下，其香皆薰，一切同等，悉得一切香德之定，堪任得定，菩薩一切行無所著。」

彼諸菩薩問維摩詰：「今世尊釋迦文，云何現法？」

維摩詰曰：「此土人民剛強難化，故佛為說剛強之語。是趣地獄，是趣畜生、鬼神之道，是為由身、由言、由意惡行之報，至于不善惡行滋多，故為之說若干法要，以化其麁獷之意。譬如象馬㦬悷不調，著之羈絆，加諸杖痛，然後調良。如是難化譸張之人，為以一切苦諫之言，乃得入律。」

彼菩薩曰：「未曾有，如世尊釋迦文，乃忍以聖大之意，解貧貪之人，及其菩薩亦能勞謙，止斯佛土，甚可奇也！」

維摩詰曰：「如卿等言，此土菩薩於五罰世，以大悲利人民，多於彼國百千劫行。所以者何？諸族姓子！此忍世界有十德之法為清淨，彼土無有。何等十？

以布施攝貧窮，以敬戒攝無禮，以忍辱攝強暴，以精進攝懈怠，以一心攝亂意，以智慧攝惡智，以悔過度八難，以大乘樂遍行，以種德本濟無德者，以合聚度人民，是為十德，而以發意取彼。」

彼菩薩曰：「為以幾法，行無瘡疣，從此忍界，到他佛土？」

維摩詰曰：「有八法行，菩薩為無瘡疣，從此忍界到他佛土。何等八？為眾設恥避亂羞望；為一切人任苦忍諍；為諸善本以救眾生；為不距眾人而愛敬；菩薩所未聞經，恣聽不亂；不嫉彼供，不謀自利；常省己過，不訟彼短；自檢第一以學眾經，是為八。」

當此維摩詰與眾會及文殊師利說法時，滿百千人發無上正真道意，十千菩薩逮得法忍。

維摩詰經菩薩行品第十一

是時，佛說法於奈氏之園，其場忽然廣博嚴事，一切眾會皆見金色。

阿難曰：「彼以佛事作此飯耶？」

佛言：「如是！如是！阿難！或有佛土以光明作佛事。或有佛土以菩薩作佛事。有以如來色相、名號現作佛事。有以衣食、苑園、棚閣而作佛事。有以示視神通變化而作佛事。有以虛靜空、無寂寞為作佛事，而使達士得入律行。有以影、響、夢、幻、水、月、野馬，曉喻文說，而作佛事。有以清淨無身、無得、無言、無取，而為衆人作佛事。若此，阿難！不有是義及諸所有，亦不為人作佛事也，以此四魔八十四垢，百千種人為之疲勞，是故諸佛為作佛事故。此，阿難！名為佛法，隨所行入之法門，菩薩得入此門者，若得一切好大佛土，不以喜悅，得不好土，而亦不避，其近如來即益起敬。妙哉一切佛法！以等度人。而佛土不同，譬如有佛土，有地若干道，所覆蓋不若干也。如是，阿難！有諸如來為若干像，其無礙慧不若干也。

「正等阿難！如來身色威相性大，戒、定、慧、解度、知見事，力、無所畏，及佛法慈悲護安，受行壽量，說法度人，是故名為等正覺，名為如來，名為佛。此三句者，其義甚廣，使吾以劫之壽，未能周竟三千大千申暢其義，以知眾生之意。上智多聞，得念總持，為一切人說此三句之義，窮劫未能竟，此為等正覺，為如來，為佛者也。是故，阿難！佛道無量，如來智辯不可思議。」

阿難白佛：「願今已後，無稱我為上智多聞。」

佛言：「阿難！汝起疲厭之意，於弟子中為最多聞，比諸菩薩未有見焉。菩薩志願所作彌多，一切海淵尚可測量，菩薩智慧諸持定念，種種所得不可稱度。阿難！汝且觀菩薩行。是維摩詰一時所現德善之本，彼諸弟子、緣一覺者，一切變化於百千劫不能現也。」

於是眾香世界菩薩來者，皆叉手言：「如來名等，吾甚思念，無有遺忘，於此佛土終不起想，又如世尊諸佛權道不可思議，以度人故，為隨所欲，而現佛土之好。願佛贈我以佛之法，遺還於彼土當念如來。」

佛告諸菩薩言：「有盡不盡門，汝等當學。何謂為盡？謂其有數。何謂不盡？謂為無數。如菩薩者，不盡於數，不住無數，以何於數而不動者？謂之大慈不動，大悲不捨，性以和樂而不荒，見人而悅，奉事聖衆。惠施軀命，以受正法，種善無厭，分德不住。學法不懈，說教不忘，供事佛勸，所生不恐，具受不慢，不輕未學，不為塵埃。守真化生，欣樂受*彼，安身以力，安彼以悅。禪定為學行想，生死為善權想，來求為賢友想，悉知為具足想，所有為布施想，惡戒為依受想，不忍為忍默想，懈怠為精進想，亂意為知念想，惡智為行智想，度無極為父母想，道品法為群從想。欲行衆善，而無厭足，以諸剎好，成己佛土，生死無數劫意而有勇，聞佛無量德志而不倦。勞者為作歸，貪者為福，導為衆重任。曉陰入種降魔兵，不以謀為法，淵慧有餘，以少求而知足。諸世間已畢竟，於衆俗不漸漬，得世際感聖賢，現諸儀式，起神通行。博聞能諷，慧力持念，斷衆人疑，知本本根，無礙無住，為致辯才。順化天人，十善為淨，梵迹為立，行四無量。致佛音聲為法都講，導至善行得佛仙路，*損身、口、意，行欲殊勝，憙在衆經取菩薩衆以大乘化，德行不敗，善法不惑。如是，諸族姓子！以應此法者，不盡數也。

「何謂菩薩不住無數？謂求為空，不以空為證。求為無相、無數、無願，不以無相、無數、無願，隨至為證。觀於無常，不厭善本。觀世間苦，以誠信生。觀於非身，誨人不倦。觀寂然法，寂*然而無*轉。觀退轉者，身意不隨。觀無處所，為住生死，以度斯漏。觀無所行，為行導人。觀於無我，以大悲乘而成濟之。觀無所生，不隨弟子、緣一覺律。觀于惶荒，不荒福德。觀夫虛無，不虛正智。觀於言語，不厭智慧。觀無有主，應自然智。觀無適莫，義合則行。是為，諸族姓子！菩薩不住無數。

「又復不盡數者，為合會福；不住無數者，為合會慧。不盡數者，為行大慈；不住無數者，為有大悲。不盡數者，為*導人民；不住無數者，為求佛法。不盡數者，為具佛身相；不住無數者，為具一切智。不盡數者，為行善權；不住無數者，為出智慧。不盡數者，為淨佛土；不住無數者，為佛立故。不盡數者，利誘進人；不住無數者，現人利故。不盡數者，計會善本；不住無數者，施善力故。不盡數者，為具所願；不住無數者，為本願故。不盡數者，為具滿性；不住無數者，為性淨故。不盡數者，為五通不邪；不住無數者，知佛六通故。不盡數者，行度無極；不住無數者，無滿時故。不盡數者，求諸佛寶；不住無數者，不求無寶處故。不盡數者，習行眾藥；不住無數者，知彼眾病故。不盡數者，生死自然；不住無數者，泥洹自然故。」

於是彼諸菩薩聞此喜悅，皆生善心。諸是三千大千世界一切好華，積至于膝，以供養佛。稽首佛足，右遶三匝，以次合聚。於是佛土忽然不現，須臾之間已還彼國，近香積佛。

維摩詰經見阿閦佛品第十二

於是世尊問維摩詰：「汝族姓子！欲見如來為以何等觀如來乎？」

維摩詰曰：「始不以生，終不以數，今則不住。空種是同，入無所積，眼、耳、鼻、口、身、心以離，三界不疲，解三脫門，得三達智；為無所至，至一切法；得無礙立，積於誠信；如無所住，如慧無雜，不生因緣；不為相，不熟相，不暫相；不一相，不非相；不無視，不為視；不熟視，不暫視；不此岸不度，汎不中流；不以此，不以彼，不以異；不解慧，不住識；無晦、無明，無顯、無名，無弱、無強；無教、無不教；無淨、無不淨；無數、無不數；無言、無不言；不施、不受，不戒、不犯，不忍、不諍，不進、不怠，不禪、不亂，不智、不愚；不誠、不欺；不出、不入、不往、不反，斷諸雜聲；非有土、非無土；非有餘、非盡㵟、非模非想；非著捨著，平等正法；非量、非稱、非過、非逝、非作；非見、非聞；非意、非識；度諸所生，正至諸慧，等諸人物，說一切法；無所生、無所有、無罣礙，一切受無不樂作；無刺、無擊、無滅、無敗、無固；無畏、無憂、無喜、無聲；一切滅說無語。如是，世尊！如來身為若此，為如是觀，如是觀者，名為正觀，以他觀者，猶為邪觀。」

賢者舍利弗承佛聖旨，而問佛言：「是人何沒，來生此土？」

佛言：「汝自以是問維摩詰。」

舍利弗言：「族姓子！汝於何沒，而來生此？」

維摩詰言：「如卿賢者以法為證，沒當何生？」

曰：「安有斯法，沒而生者。」

維摩詰曰：「若無沒來，何有諸法？曷云如是：『汝於何沒而來生此？』幻士造化，為男為女，寧有沒來？」

舍利弗言：「化者，無沒生也。」

維摩詰曰：「如來不云一切法化自然？」

答曰：「如是！」

曰：「化自然相，非諸法耶？曷云如是：『汝於何沒、而來生此？』沒者，舍利弗！為行盡澌，生者，為行長善。菩薩沒者，不盡善本，生不長惡。」

佛告舍利弗：「是族姓子本從阿閦佛阿維羅提世界來，阿閦者，漢言無怒，阿維羅提者，妙樂也。」

舍利弗言：「希有！世尊！是族姓子乃從清淨佛土而來樂此多怒之處。」

維摩詰言：「云何，賢者！夫日一切周行冥中，為樂冥耶？」

答曰：「不然！日不休者，其明堪任，行衆冥故也。」

曰：「夫日奚故行閻浮利上？」

答曰：「欲以明照，為之除冥。」

曰：「如是，賢者！菩薩若生不淨佛土，則淨其人不俱為污，一切所近輒為除冥。」

是時，大衆渴仰，欲見妙樂世界阿閦如來，及其大人。佛知一切衆會所念，即請維摩詰言：「族姓子！現此衆中，妙樂世界阿閦如來及其菩薩、諸弟子衆，衆皆欲見。」

於是維摩詰菩薩自念：「吾當止此師子座不起，為現妙樂世界鐵圍山川、溪谷、江湖、河海、州域，須彌衆山、明冥日月、星宿、龍神、天宮、梵宮，及衆菩薩、弟子具足，國邑墟聚，人民君王，阿閦如來及其道樹所坐蓮華，其於十方施作佛事。及其三重寶階，從閻浮利至忉利宮，其階忉利諸天所，以下閻浮提禮佛拜謁供事聞法，閻浮提人亦緣其階上忉利宮，天人相見，如是無數德好之樂，從妙樂世界上至第二十四阿迦膩吒天。又斷取來供養入此忍界，使一切衆兩得相見。」

維摩詰念欲喜衆會，即如其像，正受三昧，而為神足，居諸衆前於師子座，以右掌接妙樂世界來入忍土。

彼得神通菩薩、天人、弟子，見接擧來，皆起稱曰：「唯然！世尊哀取我，惟世尊安立我！」

阿閦佛以方便受衆人而解之曰：「非我所為，是維摩詰所接也。」其餘天人不知為誰取我*而往，而妙樂世界入此忍土，不增不減，又此土不迫隘，而彼土亦不損也。

於是，世尊釋迦文，告諸衆曰：「汝等觀是妙樂世界阿閦如來，其土嚴好，菩薩行淨，弟子清白。」

皆曰：「唯然！已見！願受如是淨*妙佛土。」

諸菩薩皆欲追學阿閦如來菩薩所行，其於是見彼阿閦如來佛土者，十四姟人起無上正真道意，皆願生妙樂世界。佛即記說：是輩皆當生妙樂土，又當來化我此忍世界，一切化已，當復還彼。

佛問舍利弗：「汝已見妙樂世界阿閦如來？」

「如是，世尊！見彼土人，一切淨好，皆得神足如維摩詰。我等世尊，快得善利，得與是輩，從之正士，相見與事。在在人人，聞是法者，快得善利。誰聞是語而不好信？如有手執翫習諷讀，是為得佛行念；如有諷起是經法者，為受正法為捨衆道，為如來到其舍；若究暢書，隨是法說而敬事者，是為得佛福施得大法智，其以是經四句頌教，為同學說，是為已得記莂，為得法樂已甚解矣。」

維摩詰經法供養品第十三

於是天帝釋白佛言：「多福哉！世尊！得近如來、文殊師利者，雖百千聞，未有若此純法化者也。以宿曾聞是法不疑故，使其人得此法乘，能受持誦，況我面值應心與合。諸*受此者，吾無所違，若一切見軌跡不離諸佛者，於諸彼轉其已得勝，為降衆魔而來體道，道意佛念其人必得。持是法者，吾與官屬，當助安之。在所墟聚國邑，有以是法教勸說者，吾與官屬，共詣其所。其未樂之天人，吾當起其樂，必以喜樂而營護法。」

佛言：「善哉！善哉！天帝！吾代汝喜。是諸去、來、現在佛得道者，皆說是法。若是，天帝！欲得供養去、來、現在諸佛世尊，當受是法，持誦自*淨，宣示同學。正使，天帝！三千⊙大千☆世界如來滿中，譬如甘蔗、竹蘆、稻麻、叢林，甚多無數，皆為如來，有賢者子、賢者女，於一劫若百劫，敬之、事之、奉之、養之，一切施安進諸所樂。至諸佛般泥曰，一一等意，穿地藏骨，立七寶塔，周於四方，彌滿佛界，高至梵天，施設蓋幡，為諸佛別造塔，皆於一劫若百劫，供養衆華、衆香、衆蓋、幢幡、伎樂。云何？天帝！此人殖福能增多不？」

曰：「多矣！世尊！彼之福祐，不可稱說億百千劫。」

佛告天帝：「當以知是賢者子、賢者女，受此不思議門所說法要，奉持說者，福多於彼。所以者何？法生佛道，法出諸佛，其能供養此正法者，非思欲施輩，當以知此。」

佛告天帝：「有昔過去無央數劫不可稱計，時世有佛，名俾沙闍羅耶(漢言藥王)如來、至真、等正覺、明行成為、善逝、世間解、無上士、道法御、天人師、號佛、世尊，其世界名太清，劫曰淨除。彼時，天帝！藥王如來壽三十劫，其弟子衆凡三十六億姟，菩薩十二億。

「是時，有轉輪聖王名曰寶蓋，王有七寶，主四天下，五劫奉事藥王如來，率其官屬施諸所安。至五劫中，聖王寶蓋，召其千子而告之曰：『汝等已見如來，當共奉事，施以所安。』於是千子聞父王命，皆以安和，復至五劫供養藥王如來，並其官屬一切施安。

「第一太子名曰善宿，獨坐自念：『寧有供養殊過此者？』空中有天，承佛聖旨，應曰：『正士！法之供養，勝諸供養。』即問：『何謂法之供養？』天曰：『何不行問藥王如來？佛當為汝解說法之供養。』

「於是太子善宿即起，行詣藥王如來，稽首佛足，而問：『法之供養，為法見者，是何謂也？』

「藥王佛言：『法供養者，如佛所說，衆經奧藏，深邃之言，諸世所歸，非為難受、難見之輩，以無憍慢、微妙、無像其義夷易。菩薩篋藏修至諸持，經印所封，非無道理，其輪清淨，入六度無極，可善取學道品，法淨入正之事。為下大悲*逮于大悲，離諸大見，覩*本緣起，非人、非命、非女、非男，如空無相，無願無為，道地之行，法輪之際，天人百千所共歎譽，法藏多度，含受衆人。明宣諸佛菩薩道行，為入有義法之正要，下於無常、苦、空、非身。戒無所犯，一切彼轉見為怖畏，師仰諸佛，覩夫生死而不與，同現滅度，安習如是像衆經微言，分別惟觀而以受法，是為法之供養。

「『又，族姓子！法供養者，為聞法生法，法轉成緣起，隨順離諸際見，為如不生，不起法忍，非身、非人。為上因緣，無違、無受，如無所諍，以捨我作，而依於義，不以嚴好，以隨聖典；而依於慧，不為文飾，處處入義；而依於經，不習非義，以所懷戢；而依於法，不用人所見。得諸法無受入無處所，滅於不明滅於行，滅於識、名色、六入、更樂、痛愛、受、有、生老死苦，一切*已滅。如是滅、如是觀十二因緣起，以不可盡而受微妙，人所視見，而以不視。是族姓子！名為無上法之供養。』

「如是，天帝太子善宿從藥王佛，聞法供養，便得順忍，即解寶衣以覆佛上而言曰：『余以堪任，於如來滅後，奉受正法，作法供養，擁護是道。惟願如來加哀豎立，令我得降魔怨，取佛正法。』

「彼佛知其內性，即說曰：『末後汝當守護法城。』

「於是善宿從見世尊，以家之信，捨家受道，勤修德本。精進不久，即立善法，起五神通，得入諸道之持，不斷辯才。遂於世尊般泥*洹後，以智慧力至滿十劫，藥王如來所轉法施隨而分布。於時善宿比丘化十億人使立大道，十四姟人解弟子乘，餘無量人得生天上。如是天帝在昔異時王寶蓋者，於今得佛名寶成如來，其太子善宿者，則吾是也。其餘諸子，於是賢劫，皆得如來、至真、等正覺，此賢劫中千佛興者是也。從鳩留先為始作佛，至樓由如來為最後得。如是，天帝！當知此要，昔者我身於諸如來行法供養，得為上化，為長化、為願化、為無上無比之化。是故，天帝！當以知此法之供養，供養於佛。」

維摩詰經囑累彌勒品第十四

彼時，佛語彌勒菩薩言：「彌勒！是名為無數億劫習佛道品，汝隨分布，受是像經，佛所建立，如來滅後，廣*傳此道。所以者何？後世得者，族姓子、族姓女、天、龍神、揵沓和，當下德本，其於前*生已作無上正真道行，而未得聞受此法者，聞是輩經，必甚愛樂，當頂受此佛之要道。

「又，汝彌勒！當利是輩諸族姓子，於是當為布現是經。*又菩薩有二印，何謂二？有憙雜句嚴飾之印，有入深法妙化之印。彼若好憙雜句飾者，當知是為阿夷恬菩薩輩也。若得是深經書受廣行，不以數數有畏，聞之能傳，當知是菩薩為久修梵行。

「復有四事，阿夷恬用空耗。何謂四？所未聞經，聞之驚疑，不作勸助，專增為亂，吾未曾聞此從何來。若族姓子！甚解深法樂說微妙，不從受習，雖近不敬專，於中作毀行，是為四，阿夷恬為空耗不得至深法忍。

「又，彌勒！有二行，菩薩雖解深法，猶以空耗。何謂二？習在邊方，不恒其行，檀智蔑人，不受不誦、亦不追求。自有甚解學深法者，則以輕慢，貪濁、懷嫉，不能納人，亦不法施，是為二。雖解深法，猶以空耗，不能疾近，不起法忍。」

於是彌勒菩薩白佛言：「未曾有，唯然！世尊！至於如來之善言，吾當遠離如此之惡，以護如來無數億劫道品之習。若賢者子心入是輩經者，當令手得衆所念取，若念受持如是輩經，傳示同學，廣說分明。其時，世尊！得如是經，樂喜相傳者，當知此輩菩薩為彌勒所建立也。」

佛言：「善哉！善哉！彌勒！如來代喜，善說是言。」

於是一切菩薩等，俱共同出聲言：「如來滅後，我等在所佛土，當來於此分布佛道，示諸同學以其所樂。」

爾時，四天王白佛言：「在所世尊！墟聚國邑，有行如是深經法者，吾當率諸官屬，詣講法所，為護講法。百由*旬內，當令一切聞見講法，令無伺求得其便者。」

彼時佛告賢者阿難：「取是經法，奉持誦說，以布現人。」阿難言：「唯！當受是經，布現眾人要者。世尊！當何名斯經？亦當*云何奉持之？」

佛告阿難：「是⊙經名為維摩詰所說，亦名為不可思議法門之稱，當奉持之。」佛說是⊙經已，莫不歡受。尊者維摩詰、文殊師利為上首，眾菩薩、大弟子、一切魔眾，聞佛所說皆大歡喜。

維摩詰經卷下

說無垢稱經

說無垢稱經卷第一

大唐三藏法師玄奘奉　詔譯

序品第一

如是我聞：一時，薄伽梵住廣嚴城菴羅衞林，與大苾芻衆八千人俱。菩薩摩訶薩三萬二千，皆為一切衆望所識，大神通業修已成辦，諸佛威德常所加持，善護法城，能攝正法，為大師子吼聲敷演，美音遐振周遍十方，為諸衆生不請善友，紹三寶種能使不絕，降伏魔怨，制諸外道，永離一切障及蓋纏，念定總持無不圓滿，建立無障解脫智門，逮得一切無斷殊勝，念慧等持，陀羅尼辯，皆獲第一，布施調伏、寂靜尸羅、安忍、正勤、靜慮、般若、方便善巧，妙願、力、智波羅蜜多，成無所得，不起法忍，已能隨轉不退法輪，咸得無相妙印所印，善知有情諸根勝劣，一切大眾所不能伏而能調御，得無所畏，已積無盡福智資糧，相好嚴身色像第一。捨諸世間所有飾好，名稱高遠踰於帝釋，意樂堅固猶若金剛，於諸佛法得不壞信，流法寶光，澍甘露雨，於眾言音微妙第一，於深法義廣大緣起，已斷二邊見習相續，演法無畏猶師子吼，其所講說乃如雷震，不可稱量過稱量境，集法寶慧為大導師，正直審諦柔和微密，妙達諸法難見難知，甚深實義隨入一切，有趣無趣意樂所歸，獲無等等佛智灌頂，近力、無畏、不共佛法，已除所有怖畏惡趣，復超一切險穢深坑，永棄緣起金剛刀仗，常思示現諸有趣生，為大醫王善知方術，應病與藥愈疾施安，無量功德皆成就，無量佛土皆嚴淨，其見聞者無不蒙益，諸有所作亦不唐捐，設經無量百千俱胝那庾多劫，讚其功德亦不能盡。其名曰：等觀菩薩、不等觀菩薩、等不等觀菩薩、定神變王菩薩、法自在菩薩、法幢菩薩、光幢菩薩、光嚴菩薩、大嚴菩薩、寶峰菩薩、辯峰菩薩、寶手菩薩、寶印手菩薩、常舉手菩薩、常下手菩薩、常延頸菩薩、常喜根菩薩、常喜王菩薩、無屈辯菩薩、虛空藏菩薩、執寶炬菩薩、寶吉祥菩薩、寶施菩薩、帝網菩薩、光網菩薩、無障靜慮菩薩、慧峰菩薩、天王菩薩、壞魔菩薩、電天菩薩、現神變王菩薩、峰相等嚴菩薩、師子吼菩薩、雲雷音菩薩、山相擊王菩薩、香象菩薩、大香象菩薩、常精進菩薩、不捨善軛菩薩、妙慧菩薩、妙生菩薩、蓮花勝藏菩薩、三摩地王菩薩、蓮花嚴菩薩、觀自在菩薩、得大勢菩薩、梵網菩薩、寶杖菩薩、無勝菩薩、勝魔菩薩、嚴土菩薩、金髻菩薩、珠髻菩薩、慈*氏菩薩、妙吉祥菩薩、珠寶蓋菩薩，如是等上首菩薩摩訶薩三萬二千。

復有萬梵，持髻梵王而為上首，從本無憂四大洲界，為欲瞻禮、供養世尊及聽法故，來在會坐。

復有萬二千天帝，各從餘方四大洲界，亦為瞻禮、供養世尊及聽法故，來在會坐。

并餘大威力諸天、龍、藥叉、健達縛、阿素洛、揭路茶、緊捺洛、莫呼洛伽、釋、梵、護世等。悉來會坐。及諸四眾苾芻、苾芻尼、鄔波索迦、鄔波斯迦、

衆覩驚歎未曾有，故禮十力大智見。衆會瞻仰大牟尼，靡不心生清淨信，
各見世尊在其前，斯則如來不共相。佛以一音演說法，衆生隨類各得解，
皆謂世尊同其語，斯則如來不共相。佛以一音演說法，衆生各各隨所解，
普得受行獲其利，斯則如來不共相。佛以一音演說法，或有恐畏或歡喜，
或生厭離或斷疑，斯則如來不共相。稽首十力諦勇猛，稽首已得無怖畏，
稽首至定不共法，稽首一切大導師，稽首能斷衆結縛，稽首已住於彼岸，
稽首普濟苦群生，稽首不依生死趣，已到有情平等趣，善於諸趣心解脫，
牟尼如是善修空，猶如蓮花不著水。一切相遣無所遣，一切願滿無所願，
大威神力不思議，稽首如空無所住。

爾時，寶性說此伽他讚世尊已，復白佛言：「如是五百童子菩薩，皆已發趣阿耨多羅三藐三菩提，彼咸問我嚴淨佛土，唯願如來哀愍為說淨佛土相。云何菩薩修淨佛土？」

作是語已，佛言：「寶性！善哉！善哉！汝今乃能為諸菩薩，請問如來淨佛

土相，及問菩薩修淨佛土。汝今諦聽！善思念之！當為汝等分別解說。」

於是寶性及諸菩薩，咸作是言：「善哉！世尊！唯願為說，我等今者皆希聽受。」

爾時，世尊告衆菩薩：「諸有情土是為菩薩嚴淨佛土。所以者何？諸善男子！一切菩薩隨諸有情增長饒益，即便攝受嚴淨佛土。隨諸有情發起種種清淨功德，即便攝受嚴淨佛土。隨諸有情應以如是嚴淨佛土而得調伏，即便攝受如是佛土。隨諸有情應以如是嚴淨佛土悟入佛智，即便攝受如是佛土。隨諸有情應以如是嚴淨佛土起聖根行，即便攝受如是佛土。所以者何？諸善男子菩薩攝受嚴淨佛土，皆為有情增長饒益，發起種種清淨功德。諸善男子！譬如有人欲於空地造立宮室，或復莊嚴，隨意無礙，若於虛空終不能成。菩薩如是，知一切法皆如虛空，唯為有情增長饒益，生淨功德，即便攝受如是佛土，攝受如是淨佛土者，非於空也。

「復次，寶性！汝等當知發起無上菩提心土，是為菩薩嚴淨佛土，菩薩證得！不必是坐為宴坐也！夫宴坐者，不於三界而現身心，是為宴坐。不起滅定而現諸威儀，是為宴坐。不捨一切所證得相而現一切異生諸法，是為宴坐。心不住內亦不行外，是為宴坐。住三十七菩提分法而不離於一切見趣，是為宴坐。不捨生死而無煩惱，雖證涅槃而無所住，是為宴坐。若能如是而宴坐者，佛所印可。』時我，世尊！聞是語已默然而住，不能加報，故我不任詣彼問疾。」

爾時，世尊告大目連：「汝應往詣無垢稱所，問安其疾。」

時，大目連白言：「世尊！我不堪任詣彼問疾。所以者何？憶念我昔於一時間，入廣嚴城在四衢道，為諸居士演說法要。時無垢稱來到彼所，稽首我足而作是言：『唯！大目連！為諸白衣居士說法。不當應如尊者所說。夫說法者應如法說。』時我問言：『云何名為如法說耶？』彼即答言：『法無有我，離我垢故；法無有情，離情塵故；法無命者，離生死故；法無補特伽羅，前後際斷故；法常寂然，滅諸相故；法離貪著，無所緣故；法無文字，言語斷故；法無譬說，遠離一切波浪思故；法遍一切，如虛空故；法無有顯，無相無形，遠離一切行動事故；法無我所，離我所故；法無了別，離心識故；法無有比，無相待故；法不屬因，不在緣故；法同法界，等入一切真法界故；法隨於如，無所隨故；法住實際，畢竟不動故；法無動搖，不依六境故；法無去來，無所住故；法順空、隨無相、應無願，遠離一切增減思故；法無取捨，離生滅故；法無執藏，超過一切眼、耳、鼻、舌、身、意道故；法無高下，常住不動故；法離一切分別所行，一切戲論畢竟斷故。

「『唯！大目連！法相如是，豈可說乎？夫說法者，一切皆是增益損減。其聽法者，亦復皆是增益損減。若於是處無增無減，即於是處都無可說，亦無可聞，無所了別。尊者目連！譬如幻士為幻化者宣說諸法，住如是心乃可說法，應善了知一切有情根性差別，妙慧觀見無所罣礙，大悲現前讚說大乘、念報佛恩，意樂清淨法詞善巧，為三寶種永不斷絕乃應說法。』

「世尊！彼大居士說此法時，於彼衆中八百居士，皆發無上正等覺心。時我，世尊！默無能辯，故我不任詣彼問疾。」

爾時，世尊告迦葉波：「汝應往詣無垢稱所，問安其疾。」

大迦葉波白言：「世尊！我不堪任詣彼問疾。所以者何？憶念我昔於一時間，入廣嚴城遊貧陋巷而巡乞食，時無垢稱來到彼所，稽首我足而作是言：『唯！大迦葉！雖有慈悲而不能普，捨◎於豪富從◎于貧乞。尊者迦葉！住平等法，應次行乞食；為不食故，應行乞食；為欲壞彼於食執故，應行乞食；為欲受他所施食故，應行乞食；以空聚想入於聚落，為欲成熟男女大小入諸城邑趣佛家想，詣乞食家為不受故，應受彼食。所見色與盲等、所聞聲與響等、所嗅香與風等、所食味不分別，受諸觸如智證，知諸法如幻相、無◎有自性、無他性、無熾然、無寂滅。

「『尊者迦葉！若能不捨八邪入八解脫，以邪平等入正平等，以一摶食施于一切，供養諸佛及眾賢聖然後可食。如是食者非有雜染非離雜染，非入靜定非出靜定，非住生死非住涅槃，爾乃可食。諸有施於尊者之食，無小果、無大果、無損減、無增益，趣入佛趣不趣聲聞。

「『尊者迦葉！若能如是而食於食，為不空食他所施食。』時我，世尊！聞說是語得未曾有，即於一切諸菩薩等深起敬心。

「甚奇！世尊！斯有家士辯才智慧乃能如是，誰有智者得聞斯說而不發於阿耨多羅三藐三菩提心？我從是來不勸有情求諸聲聞、*獨覺等乘，唯教發心趣求無上正等菩提，故我不任詣彼問疾。」

爾時，世尊告大善現：「汝應往詣無垢稱所，問安其疾。」

時，大善現白言：「世尊！我不堪任詣彼問疾。所以者何？憶念我昔於一時間，入廣嚴城而行乞食，次入其舍。時無垢稱為我作禮，取我手鉢盛滿美食而謂我言：『尊者善現！若能於食以平等性，而入一切法平等性，以一切法平等之性，入于一切佛平等性，其能如是乃可取食。

「『尊者善現！若能不斷貪、恚、愚癡，亦不與俱，不壞薩迦耶見入一趣道，不滅無明、并諸有愛，而起慧明及以解脫。能以無間平等法性而入解脫平等法性，無脫無縛，不見四諦非不見諦，非得果，非異生非離異生法，非聖非不聖，雖成就一切法而離諸法想，乃可取食。

「『若尊者善現不見佛、不聞法、不事僧，彼外道六師，滿迦葉波、末薩羯離瞿舍離子、想吠多子、無勝髮、羯幫迦衍那、離繫親子，是尊者師，依之出家，彼六師墮，尊者亦墮，乃可取食。

「『若尊者善現墮諸見趣而不至中邊，入八無暇不得有暇，同諸雜染離於清淨，若諸有情所得無諍尊者亦得，而不名為清淨福田。諸有布施尊者之食墮諸惡趣，而以尊者為與眾魔共連一手，將諸煩惱作其伴侶，一切煩惱自性即是尊者自性，於諸有情起怨害想，謗于諸佛、毀一切法、不預僧數，畢竟無有般涅槃時，若如是者乃可取食。』時我，世尊！得聞斯語，猶拘重闇，迷失諸方，不識是何言，不知以何答，便捨自鉢欲出其舍。時無垢稱即謂我言：『尊者善現！取鉢勿懼，於意云何？若諸如來所作化者，以是事詰，寧有懼不？』我言：『不也！』無垢稱言：『諸法性相皆如幻化，一切有情及諸言說性相亦爾，諸有智者於文字中，不應執著亦無怖畏。所以者何？一切言說皆離性相。何以故？一切文字性相

亦離，都非文字是則解脫，解脫相者即一切法。』世尊！彼大居士說是法時，二萬天子遠塵離垢，於諸法中得法眼淨；五百天子得順法忍。時我，默然頓喪，言辯不能加對，故我不任詣彼問疾。」

爾時，世尊告滿慈子：「汝應往詣無垢稱所，問安其疾。」

時，滿慈子白言：「世尊！我不堪任詣彼問疾。所以者何？憶念我昔於一時間在大林中，為諸新學苾芻說法。時無垢稱來到彼所，稽首我足而作是言：『唯！滿慈子！先當入定觀苾芻心，然後乃應為其說法，無以穢食置於寶器，應先了知是諸苾芻有何意樂，勿以無價吠琉璃寶同諸危脆賤水精珠。

「『尊者滿慈！勿不觀察諸有情類根性差別，授以少分根所受法，彼自無瘡，勿傷之也！欲行大道莫示小徑，無以日光等彼螢火，無以大海內於牛跡，無以妙高山王內於芥子，無以大師子吼同野干鳴。

「『尊者滿慈[1]！是諸苾芻皆於往昔發趣大乘心祈菩提，中忘是意，如何示以聲聞乘法？我觀聲聞智慧微淺過於生盲無有大乘，觀諸有情根性妙智，不能分別一切有情根之利鈍。』時無垢稱便以如是勝三摩地，令諸苾芻隨憶無量宿住差別，曾於過去五百佛所種諸善根，積習無量殊勝功德迴向無上正等覺心。隨憶如是宿住事已，求菩提心，還現在前，即便稽首彼大士足。時無垢稱因為說法，令於無上正等菩提不復退轉，時我，世尊！作如是念，諸聲聞人不知有情根性差別，不白如來，不應輒爾為他說法。所以者何？諸聲聞人不知有情諸根勝劣，非常在定如佛世尊。故我不任詣彼問疾。」

爾時，世尊告彼摩訶迦多衍那：「汝應往詣無垢稱所，問安其疾。」

迦多衍那白言：「世尊！我不堪任詣彼問疾。所以者何？憶念我昔於一時間，佛為苾芻略說法已，便入靜住。我即於後分別決擇契經句義；謂：無常義、苦義、空義、無我義、寂滅義。時無垢稱來到彼所，稽首我足而作是言：『唯！大尊者迦多衍那！無以生滅分別心行說實相法。所以者何？諸法畢竟，非已生、非今生、非當生；非已滅、非今滅、非當滅義，是無常義。洞達五蘊畢竟性空，無所由起，是苦義。諸法究竟無所有，是空義。知我、無我無有二，是無我義。無有自性亦無他性，本無熾然今無息滅，無有寂靜、畢竟寂靜、究竟寂靜，是寂滅義。』說是法時，彼諸苾芻諸漏永盡心得解脫，時我，世尊！默然無辯，故我不任詣彼問疾。」

爾時，世尊告大無滅：「汝應往詣無垢稱所，問安其疾。」

時，大無滅白言：「世尊！我不堪任詣彼問疾。所以者何？憶念我昔於一時間，在大林中一處經行，時有梵王名曰嚴淨，與萬梵俱放大光明來詣我所，稽首作禮而問我言：『尊者無滅！所得天眼能見幾何？』時我，答言：『大仙！當知我能見此釋迦牟尼三千大千佛之世界，如觀掌中阿摩洛果。』時無垢稱來到彼所，稽首我足而作是言：『尊者無滅！所得天眼為有行相？為無行相？若有行相即與外道五神通等；若無行相即是無為不應有見。云何尊者所得天眼能有見耶？』時我，世尊！默無能對。然彼諸梵聞其所說得未曾有，即為作禮而問彼言：『世孰有得真天眼者？』無垢稱言：『有佛世尊得真天眼，不捨寂定見諸佛國，不作二相及種種相。』時彼梵王五百眷屬，皆發無上正等覺心，禮無垢稱，欻然不現，故我不任詣彼問疾。」

爾時，世尊告優波離：「汝應往詣無垢稱所，問安其疾。」

時，優波離白言：「世尊！我不堪任詣彼問疾。所以者何？憶念我昔於一時間，有二苾芻犯所受戒，深懷媿恥不敢詣佛，來至我所，稽首我足，而謂我言：『唯！優波離！今我二人違越律行，誠以為恥，不敢詣佛，願解憂悔，得免斯咎。』我即為其如法解說，令除憂悔得清所犯，示現勸導讚勵慶慰。時無垢稱來到彼所，稽首我足而作是言：『唯！優波離！無重增此二苾芻罪，當直除滅憂悔，所犯勿擾其心。所以者何？彼罪性不住內、不出外、不在兩間，如佛所說，心雜染故有情雜染；心清淨故有情清淨。如是心者亦不住內、亦不出外、不在兩間，如其心然罪垢亦然，如罪垢然諸法亦然，不出於如。

「『唯！優波離！汝心本淨，得解脫時，此本淨心曾有染不？』我言：『不也！』無垢稱言：『一切有情心性本淨，曾無有染亦復如是。唯！優波離！若有分別、有異分別即有煩惱，若無分別、無異分別即性清淨；若有顛倒即有煩惱，若無顛倒即性清淨；若有取我即成雜染，若不取我即性清淨。

「『唯！優波離！一切法性生滅不住，如幻、如化、如電、如雲；一切法性不相顧待，乃至一念亦不暫住；一切法性皆虛妄見，如夢、如焰、如健達婆城；一切法性皆分別心，所起影像如水中月、如鏡中像，如是知者名善持律；如是知者名善調伏。』時二苾芻聞說是已，得未曾有，咸作是言：『奇哉！居士！乃有如是殊勝慧辯，是優波離所不能及，佛說持律最為其上而不能說。』我即告言：『汝勿於彼起居士想。所以者何？唯除如來，未有聲聞及餘菩薩而能制此大士慧辯，其慧辯明殊勝如是。』時二苾芻憂悔即除，皆發無上正等覺心，便為作禮而發願言：『當令有情皆得如是殊勝慧辯。』時我默然不能加對，故我不任詣彼問疾。」

爾時，世尊告羅怙羅：「汝應往詣無垢稱所，問安其疾。」

時，羅怙羅白言：「世尊！我不堪任詣彼問疾。所以者何？憶念我昔於一時間，有諸童子離呫毘種，來詣我所，稽首作禮，而問我言：『唯！羅怙羅！汝佛之子，捨。轉輪王位出家為道，其出家者為有何等功德勝利？』我即如法為說出家功德勝利，時無垢稱來到彼所，稽首我足而作是言：『唯！羅怙羅！不應如是宣說出家功德勝利。所以者何？無有功德、無有勝利，是為出家。唯！羅怙羅！有為法中可得說有功德勝利，夫出家者為無為法，無為法中不可說有功德勝利。

『唯！羅怙羅！夫出家者無彼、無此、亦無中間，遠離諸見，無色、非色是涅槃路。智者稱讚，聖所攝受，降伏眾魔，超越五趣，淨修五眼，安立五根，證獲五力；不惱於彼，離諸惡法，摧眾外道，超越假名，出欲*淤泥，無所繫著、無所攝受；離我、我所；無有諸取，已斷諸取；無有擾亂，已斷擾亂；善調自心，善護他心；隨順寂止，勤修勝觀；離一切惡，修一切善；若能如是名真出家。』時無垢稱告諸童子：『汝等今者於善說法毘奈耶中，宜共出家。所以者何？佛出世難、離無暇難、得人身難、具足有暇第一最難。』諸童子言：『唯！大居士！我聞佛說父母不聽，不得出家。』無垢稱言：『汝等童子，但發無上正等覺心，勤修正行，是即出家，是即受具成苾芻性。』時三十二離呫童子，皆發無上正等覺心，誓修正行，時我默然不能加辯，故我不任詣彼問疾。」

爾時，世尊告阿難陀：「汝應往詣無垢稱所，問安其疾。」

時，阿難陀白言：「世尊！我不堪任詣彼問疾。所以者何？憶念我昔於一時間，世尊身現少有所疾，當用牛乳。我於晨朝整理常服，執持衣鉢，詣廣嚴城婆羅門家，佇立門下從乞牛乳。時無垢稱來到彼所，稽首我足而作是言：『唯！阿難陀！何為晨朝持鉢在此？』我言：『居士！為世尊身少有所疾，當用牛乳故來至此。』

「時無垢稱而謂我言：『止！止！尊者！莫作是語，勿謗世尊，無以虛事誹謗如來。所以者何？如來身者金剛合成，一切惡法并習永斷，一切善法圓滿成就，當有何疾？當有何惱？唯！阿難陀！默還所止，莫使異人聞此麁言，無令大威德諸天及餘佛土諸來菩薩得聞斯語。唯！阿難陀！轉輪聖王成就少分所集善根尚得無病，豈況如來無量善根福智圓滿而當有疾，定無是處。唯！阿難陀！可速默往，勿使我等受斯鄙恥，若諸外道婆羅門等聞此麁言，當作是念：「何名*為師，自身有病尚不能救，云何能救諸有疾乎？」可密速去，勿使人聞。

「『又阿難陀！如來身者即是法身，非雜穢身；是出世身，世法不染；是無漏身，離一切漏；是無為身，離諸有為；出過衆數，諸數永寂。如此佛身當有何疾？』時我，世尊！聞是語已實懷慚愧，得無近佛而謬聽耶？即聞空中聲曰：『汝阿難陀！如居士言，世尊真身實無有病，但以如來出五濁世，為欲化導貧窮、苦惱、惡行有情示現斯事。行矣！阿難陀！取乳勿慚。』時我，世尊！聞彼大士辯說如是，不知所云，默無酬對，故我不任詣彼問疾。」

如是世尊一一別告五百聲聞諸大弟子：「汝應往詣無垢稱所，問安其疾。」是諸聲聞各各向佛說其本緣，讚述大士無垢稱言，皆曰不任詣彼問疾。

說無垢稱經菩薩品第四

爾時，世尊告慈氏菩薩摩訶薩言：「汝應往詣無垢稱所，問安其疾。」

慈氏菩薩白言：「世尊！我不堪任詣彼問疾。所以者何？憶念我昔於一時間，為覩史多天王及其眷屬，說諸菩薩摩訶薩等不退轉地所有法要。時無垢稱來到彼所，稽首我足而作是言：『尊者慈氏！唯佛世尊授仁者記，一生所繫當得無上正等菩提，為用何生得授記乎？過去耶？未來耶？現在耶？若過去生，過去生已滅；若未來生，未來生未至；若現在生，現在生無住，如世尊說，汝等苾芻，剎那剎那具生老死，即沒即生。若以無生得授記者，無生即是所入正性。於此無生所入性中無有授記，亦無證得正等菩提。云何慈氏得授記耶？為依如生得授記耶？為依如滅得授記耶？若依如生得授記者，如無有生；若依如滅得授記者，如無有滅。無生無滅真如理中無有授記，一切有情皆如也，一切法亦如也，一切聖賢亦如也，至於慈氏亦如也。

「『若尊者慈氏得授記者，一切有情亦應如是而得授記。所以者何？夫真如者，非二所顯，亦非種種異性所顯。若尊者慈氏當證無上正等菩提，一切有情亦應如是當有所證。所以者何？夫菩提者，一切有情等所隨覺。若尊者慈氏當般涅槃，一切有情亦應如是當有涅槃。所以者何？非一切有情不般涅槃，佛說真如為般涅槃，以佛觀見一切有情，本性寂靜即涅槃相，故說真如為般涅槃。

「『是故，慈氏！勿以此法誘諸天子，勿以此法滯諸天子。夫菩提者，無有趣求亦無退轉。尊者慈氏！當令此諸天子捨於分別菩提之見。所以者何？夫菩提者，非身能證、非心能證，寂滅是菩提，一切有情、一切法相皆寂滅故。不增是菩提，一切所緣不增益故。不行是菩提，一切戲論、一切作意皆不行故。永斷是菩提，一切見趣皆永斷故。捨離是菩提，一切取著皆捨離故。離繫是菩提，永離一切動亂法故。寂靜是菩提，一切分別永寂靜故。廣大是菩提，一切弘願不測量故。不諍是菩提，一切執著、一切諍論皆遠離故。安住是菩提，住法界故。隨至是菩提，隨真如故。不二是菩提，差別法性皆遠離故。建立是菩提，實際所立故。平等是菩提，一切眼色、乃至意法皆悉平等如虛空故。無為是菩提，生、住、異、滅畢竟離故。遍知是菩提，一切有情所有心行皆遍知故。無間是菩提，內六處等所不雜故。無雜是菩提，一切煩惱相續習氣永遠離故。無處是菩提，於真如中一切方處所遠離故。無住是菩提，於一切處不可見故。唯名是菩提，此菩提名無作用故。無浪是菩提，一切取捨永遠離故。無亂是菩提，常自靜故。善寂是菩提，本性淨故。明顯是菩提，自性無雜故。無取是菩提，離攀緣故。無異是菩提，隨覺諸法平等性故。無喻是菩提，一切比況永遠離故。微妙是菩提，極難覺故。遍行是菩提，自性周遍如虛空故。至頂是菩提，至一切法最上首故。無染是菩提，一切世法不能染故。如是菩提，非身能證，非心能證。』世尊！彼大居士說此法時，於天眾中二百天子得無生法忍，時我默然不能加辯，故我不任詣彼問疾。」

爾時，世尊告光嚴童子：「汝應往詣無垢稱所，問安其疾。」光嚴童子白言：「世尊！我不堪任詣彼問疾。所以者何？憶念我昔於一時間，出廣嚴城。時無垢稱方入彼城，我為作禮問言：『居士！從何所來？』彼答我言：『從妙菩提來。』

「我問：『居士！妙菩提者為何所是？』即答我言：『淳直意樂是妙菩提，由此意樂不虛假故。發起加行是妙菩提，諸所施為能成辦故。增上意樂是妙菩提，究竟證會殊勝法故。大菩提心是妙菩提，於一切法無忘失故。清淨布施是妙菩提，不悕世間異熟果故。固守淨戒是妙菩提，諸所願求皆圓滿故。忍辱柔和是妙菩提，於諸有情心無恚故。勇猛精進是妙菩提，熾然勤修無懈退故。寂止靜慮是妙菩提，其心調順有堪能故。殊勝般若是妙菩提，現見一切法性相故。慈是妙菩提，於諸有情心平等故。悲是妙菩提，於諸疲苦能忍受故。喜是妙菩提，恒常領受法苑樂故。捨是妙菩提，永斷一切愛恚等故。神通是妙菩提，具六神通故。解脫是妙菩提，離分別動故。方便是妙菩提，成熟有情故。攝事是妙菩提，攝諸有情故。多聞是妙菩提，起真實行故。調伏是妙菩提，如理觀察故。三十七種菩提分法是妙菩提，棄捨一切有為法故。一切諦實是妙菩提，於諸有情不虛誑故。十二緣起是妙菩提，無明不盡乃至老死憂苦熱惱皆不盡故。息諸煩惱是妙菩提，如實現證真法性故。一切有情是妙菩提，皆用無我為自性故。一切諸法是妙菩提，隨覺一切皆性空故。降伏魔怨是妙菩提，一切魔怨不傾動故。不離三界是妙菩提，遠離一切發趣事故。大師子吼是妙菩提，能善決擇無所畏故。諸力、無畏、不共佛法是妙菩提，普於一切無訶厭故。三明鑒照是妙菩提，離諸煩惱獲得究竟無餘智故。一刹那心覺一切法究竟無餘是妙菩提，一切智智圓滿證故。如是，善男子！若諸菩薩真實發趣具足相應，波羅蜜多具足相應，成熟有情具足相應，一切善根具足相應，攝受正法具足相應，供養如來具足相應，諸有所作往、來、進、止、舉足、下足，一切皆從妙菩提來，一切皆從諸佛法來，安住一切諸佛妙法。』世尊！彼大居士說是法時，五百天子皆發無上正等覺心。時我默然不能加辯，故我不任詣彼問疾。」

爾時，世尊告持世菩薩：「汝應往詣無垢稱所，問安其疾。」

持世菩薩白言：「世尊！我不堪任詣彼問疾。所以者何？憶念我昔於一時間，在自住處。時惡魔怨從萬二千諸天女等狀如帝釋，鼓樂絃歌來到我所，與其眷屬稽首我足，作諸天樂供養於我，合掌恭敬在一面立。我時意謂真是帝釋，而語之言：『善來！憍尸迦！雖福應有不當自恣，當勤觀察諸欲戲樂皆悉無常，於身命財當勤修習證堅實法。』即語我言：『唯！大正士！可受此女以備供侍。』我即答言：『止！憍尸迦！無以如是非法之物，而要施我沙門釋子，此非我宜所。

』言未訖時，無垢稱來到彼所，稽首我足而謂我言：『非帝釋也！是惡魔怨嬈汝故耳。』

「時無垢稱語惡魔言：『汝今可以此諸天女迴施於我，是我在家白衣所宜，非諸沙門釋子應受。』時惡魔怨即便驚怖，念：『無垢稱將無惱我！』欲隱形去，為無垢稱神力所持而不能隱，盡其神力種種方便亦不能去。即聞空中聲曰：『汝惡魔怨，應以天女施此居士，乃可得還自所天宮。』是惡魔怨以怖畏故，俛仰而與。

「時無垢稱語諸女言：『是惡魔怨以汝施我，今諸姊等當發無上正等覺心。』即隨所應為說種種隨順成熟妙菩提法，令其趣向正等菩提。復言：『姊等已發無上正等覺心，有大法苑樂可以自娛，不應復樂五欲樂也。』諸天女言：『唯！大居士！云何名為大法苑樂？』

「無垢稱言：『法苑樂者，謂：於諸佛不壞淨樂，於正法中常聽聞樂，於和合眾勤敬事樂，於其三界永出離樂，於諸所緣無依住樂，於諸蘊中觀察無常如怨害樂，於諸界中無倒觀察如毒蛇樂，於諸處中無倒觀察如空聚樂，於菩提心堅守護樂，於諸有情饒益事樂，於諸師長勤供侍樂，於惠施中離慳貪樂，於淨戒中無慢緩樂，於忍辱中堪調順樂，於精進中習善根樂，於靜慮中知無亂樂，於般若中離惑明樂，於菩提中廣大妙樂，於衆魔怨能摧伏樂，於諸煩惱能遍知樂，於諸佛土遍修治樂，於相、隨好莊嚴身中極圓滿樂，於其福智二種資糧正修習樂，於妙菩提具莊嚴樂，於甚深法無驚怖樂，於三脫門正觀察樂，於般涅槃正攀緣樂，不於非時而觀察樂，於同類生見其功德常親近樂，於異類生不見過失無憎恚樂，於諸善友樂親近樂，於諸惡友樂將護樂，於巧方便善攝受樂，於諸法中歡喜信樂，於不放逸修習一切菩提分法最上妙樂。如是，諸姊！是為菩薩大法苑樂。此法苑樂諸大菩薩常住其中，汝等當樂，勿樂欲樂。」

時惡魔怨告天女曰：『汝等可來，今欲與汝俱還天宮。』諸女答言：『惡魔！汝去！我等不復與汝俱還。所以者何？汝以我等施此居士，云何更得與汝等還？我等今者樂法苑樂，不樂欲樂，汝可獨還。』時惡魔怨白無垢稱：『唯！大居士！可捨此女，一切所有心不耽著而惠施者，是為菩薩摩訶薩也。』無垢稱言：『吾*已捨矣，汝可將去，當令汝等一切有情法願滿足。』

「時諸天女禮無垢稱而問之言：『唯！大居士！我等諸女還至魔宮，云何修行？』無垢稱言：『諸姊！當知有妙法門名無盡燈，汝等當學。』天女復問：『云何名為無盡燈耶？』答言：『諸姊！譬如一燈然百千燈，瞑者皆明，明終不盡，亦無退減。如是，諸姊！夫一菩薩勸發建立百千俱胝那庾多眾，趣求無上正等菩提，而此菩薩菩提之心，終無有盡亦無退減，轉更增益，如是為他方便善巧宣說正法，於諸善法轉更增長，終無有盡亦無退減。諸姊！當知此妙法門名無盡燈，汝等當學，雖住魔宮，當勸無量天子天女發菩提心，汝等即名知如來恩真實酬報，亦是饒益一切有情。』是諸天女恭敬頂禮無垢稱足。

「時無垢稱捨先制持惡魔神力，令惡魔怨與諸眷屬忽然不現，還於本宮。世尊！是無垢稱有如是等自在神力、智慧辯才、變現說法，故我不任詣彼問疾。」

爾時，世尊告長者子蘇達多言：「汝應往詣無垢稱所，問安其疾。」

時，蘇達多白言：「世尊！我不堪任詣彼問疾。所以者何？憶念我昔自於父舍，七日七夜作大祠會，供養一切沙門、婆羅門、及諸外道、貧窮、下賤、孤獨、乞人，而此大祠期滿七日。時無垢稱來入會中而謂我言：『唯！長者子！夫祠會者不應如汝今此所設，汝今應設法施祠會，何用如是財施祠為！』

「我言：『居士！何等名為法施祠會？』彼答我言：『法施祠者無前無後，一時供養一切有情，是名圓滿法施祠會。其事云何？謂：以無上菩提行相，引發大慈。以諸有情解脫行相，引發大悲。以諸有情隨喜行相，引發大喜。以攝正法、攝智行相，引發大捨。以善寂靜調伏行相，引發布施波羅蜜多。以化犯禁有情行相，引發淨戒波羅蜜多。以一切法無我行相，引發堪忍波羅蜜多。以善遠離身心行相，引發精進波羅蜜多。以其最勝覺支行相，引發靜慮波羅密多。以聞一切智智行相，引發般若波羅蜜多。以化一切眾生行相，引發修空。以治一切有為行相，引修無相。以故作意受生行相，引修無願。以善攝受正法行相，引發大力。以善修習攝事行相，引發命根。以如一切有情僕隸敬事行相，引發無慢。以不堅實貿易一切賢實行相，引發證得堅身命財。以其六種隨念行相，引發正念。以修淨妙諸法行相，引發意樂。以勤修習正行行相，引發淨命。以淨歡喜親近行相，引發親近承事聖賢。以不憎恚非聖行相，引調伏心。以善清淨出家行相，引發清淨增上意樂。以常修習中道行相，引發方便善巧多聞。以無諍法通達行相，引發常居阿練若處。以正趣求佛智行相，引發宴坐。以正息除一切有情煩惱行相，引發善修瑜伽師地。以具相好成熟有情、莊嚴清淨佛土行相，引發廣大妙福資糧。以知一切有情心行、隨其所應說法行相，引發廣大妙智資糧。以於諸法無取無捨、一正理門悟入行相，引發廣大妙慧資糧。以斷一切煩惱習氣、諸不善法障礙行相，引發證得一切善法。以隨覺悟一切智智一切善法資糧行相，引發證行一切所修菩提分法。汝善男子！如是名為法施祠會。若諸菩薩安住如是法施祠會，名大施主，普為世間天人供養。』

「世尊！彼大居士說此法時，梵志衆中二百梵志，皆發無上正等覺心。我於爾時，歎未曾有得淨歡喜，恭敬頂禮彼大士足，解寶瓔珞價直百千，慇懃奉施彼不肯取。我言：『大士！哀愍我故願必納受，若自不須，心所信處，隨意施與。』時無垢稱乃受瓔珞分作二分：一分施此大祠會中最可厭毀貧賤乞人。一分奉彼難勝如來。以神通力令諸大衆皆見他方陽焰世界難勝如來。又見所施一分珠瓔，在彼佛上成妙寶臺，四方四臺等分間飾，種種莊嚴甚可愛樂，現如是等神變事已。復作是言：『若有施主以平等心，施此會中最下乞人。猶如如來福田之想，無所分別其心平等，大慈大悲普施一切不求果報，是名圓滿法施祠祀。』

「時此乞人見彼神變聞其所說，得不退轉增上意樂，便發無上正等覺心。世尊！彼大居士具如是等自在神變、無礙辯才，故我不任詣彼問疾。」

如是世尊一一別告諸大菩薩，令往居士無垢稱所，問安其疾。是諸菩薩各各向佛說其本緣，讚述大士無垢稱言，皆曰不任詣彼問疾。

說無垢稱經卷第二

說無垢稱經卷第三

大唐三藏法師玄奘⊙奉詔☆譯

問疾品第五

爾時，佛告妙吉祥言：「汝今應詣無垢稱所，慰問其疾。」

時，妙吉祥白言：「世尊！彼大士者難為酬對，深入法門善能辯說，住妙辯才覺慧無礙，一切菩薩所為事業皆已成辦，諸大菩薩及諸如來祕密之處悉能隨入，善攝眾魔巧便無礙，已到最勝無二無雜，法界所行究竟彼岸，能於一相莊嚴法界，說無邊相莊嚴法門，了達一切有情根行，善能遊戲最勝神通，到大智慧巧方便趣，已得一切問答決擇無畏自在，非諸下劣言辯詞鋒所能抗對。雖然，我當承佛威神詣彼問疾，若當至彼，隨己力能與其談論。」

於是衆中有諸菩薩及大弟子、釋、梵、護世諸天子等，咸作是念：「今二菩薩皆具甚深廣大勝解，若相抗論，決定宣說微妙法教，我等今者為聞法故，亦應相率隨從詣彼。」是時衆中八千菩薩、五百聲聞、無量百千釋、梵、護世諸天子等為聞法故，皆請隨往。

時，妙吉祥與諸菩薩、大弟子衆、釋、梵、護世及諸天子，咸起恭敬頂禮世尊，前後圍繞出菴羅林，詣廣嚴城至無垢稱所，欲問其疾。

時，無垢稱心作是念：「今妙吉祥與諸大衆俱來問疾，我今應以己之神力空其室內，除去一切床座資具及諸侍者衞門人等，唯置一床現疾而臥。」時無垢稱作是念已，應時即以大神通力，令其室空除諸所有，唯置一床現疾而臥。

時，妙吉祥與諸大衆俱入其舍，但見室空無諸資具門人侍者，唯無垢稱獨寢一床。時無垢稱見妙吉祥唱言：「善來！不來而來，不見而見，不聞而聞。」

妙吉祥言：「如是！居士！若已來者不可復來，若已去者不可復去。所以者何？非已來者可施設來，非已去者可施設去，其已見者不可復見，其已聞者不可復聞。且置是事！居士所苦寧可忍不？命可濟不？界可調不？病可療不？可令是疾不至增乎？世尊慇懃致問無量。居士此病少得痊不？動止氣力稍得安不？今此病源從何而起？其生久如？當云何滅？」

無垢稱言：「如諸有情無明有愛生來既久，我今此病生亦復爾，遠從前際生死以來，有情既病我即隨病，有情若愈我亦隨愈。所以者何？一切菩薩依諸有情久流生死，由依生死便即有病，若諸有情得離疾苦，則諸菩薩無復有病。譬如世間長者居士，唯有一子，心極憐愛，見常歡喜，無時暫捨，其子若病，父母亦病，若子病愈，父母亦愈。菩薩如是，愍諸有情猶如一子，有情若病菩薩亦病，有情病愈菩薩亦愈。又言，是病何所因起？菩薩疾者從大悲起。」

妙吉祥言：「居士！此室何以都空，復無侍者？」

無垢稱言：「一切佛土亦復皆空。」

問：「何以空？」

答：「以空空。」

又問：「此空為是誰空？」

答曰：「此空無分別空。」

又問：「空性可分別耶？」

答曰：「此能分別亦空。所以者何？空性不可分別為空。」

又問：「此空當於何求？」

答曰：「此空當於六十二見中求。」

又問：「六十二見當於何求？」

答曰：「當於諸佛解脫中求。」

又問：「諸佛解脫當於何求？」

答曰：「當於一切有情心行中求。又仁所問：何無侍者？一切魔怨及諸外道皆吾侍也。所以者何？一切魔怨欣讚生死，一切外道欣讚諸見，菩薩於中皆不厭棄，是故魔怨及諸外道皆吾侍者。」

妙吉祥言：「居士！此病為何等相？」

答曰：「我病都無色相亦不可見。」

又問：「此病為身相應？為心相應？」

答曰：「我病非身相應，身相離故，亦身相應，如影像故；非心相應，心相離故，亦心相應，如幻化故。」

又問：「地界、水、火、風界，於此四界何界之病？」

答曰：「諸有情身皆四大起，以彼有病是故我病，然此之病非即四界，界性離故。」

*妙吉祥☆言：「菩薩應云何慰喻有疾菩薩令其歡喜？」

*無垢稱☆言：「示身無常而不勸厭離於身，示身有苦而不勸樂於涅槃，示身無我而⊙不勸成熟有情，示身空寂而不勸修畢竟寂滅，示悔先罪而不說罪有移轉。勸以己疾愍諸有情令除彼疾，勸念前際所受衆苦饒益有情，勸憶所修無量善本令修淨命，勸勿驚怖精勤堅勇，勸發弘願作大醫王療諸有情，身心衆病令永寂滅

，菩薩應如是慰喻有疾菩薩令其歡喜。」

妙吉祥言：「有疾菩薩云何調伏其心？」

無垢稱言：「有疾菩薩應作是念：『今我此病皆從前際虛妄顛倒分別煩惱所起業生，身中都無一法真實，是誰可得而受此病？所以者何？四大和合假名為身，大中無主，身亦無我，此病若起要由執我，是中不應妄生我執，當了此執是病根本，由此因緣，應除一切有情我想，安住法想。』應作是念：『衆法和合共成此身，生滅流轉，生唯法生，滅唯法滅，如是諸法展轉相續，互不相知，竟無思念，生時不言我生，滅時不言我滅。』

「有疾菩薩應正了知如是法想，我此法想即是顛倒。夫法想者，即是大患，我應除滅，亦當除滅一切有情如是大患。云何能除如是大患？謂當除滅我、我所執。云何能除我、我所執？謂離二法。云何離二法？謂內法、外法畢竟不行。云何二法畢竟不行？謂觀平等無動、無搖、無所觀察。云何平等？謂我、涅槃二俱平等。所以者何？二性空故。此二既無，誰復為空？但以名字假說為空。此二不實，平等見已，無有餘病，唯有空病，應觀如是空病亦空，所以者何？如是空病畢竟空故。

「有疾菩薩應無所受而受諸受。若於佛法未得圓滿，不應滅受而有所證，應離能受、所受諸法。若苦觸身，應愍險趣一切有情，發趣大悲除彼衆苦。

「有疾菩薩應作是念：『既除己疾，亦當除去有情諸疾，如是除去自他疾時，無有少法而可除者。應正觀察疾起因緣，速令除滅為說正法。何等名為疾之因緣？謂有緣慮，諸有緣慮，皆是疾因。有緣慮者皆有疾故。何所緣慮？謂緣三界。云何應知如是緣慮？謂正了達此有緣慮都無所得，若無所得則無緣慮。云何絕緣慮？謂不緣二見。何等二見？謂內見、外見。若無二見則無所得，既無所得緣慮都絕，緣慮絕故則無有疾，若自無疾則能斷滅有情之疾。』

「又，妙吉祥！有疾菩薩應如是調伏其心，唯菩薩菩提，能斷一切老病死苦，若不如是，己所勤修即為虛棄。所以者何？譬如有人能勝怨敵乃名勇健，若能如是永斷一切老病死苦乃名菩薩。

「又，妙吉祥！有疾菩薩應自觀察，如我此病非真非有，一切有情所有諸病，亦非真非有。如是觀時不應以此愛見纏心，於諸有情發起大悲，唯應為斷客塵煩惱，於諸有情發起大悲。所以者何？菩薩若以愛見纏心，於諸有情發起大悲，即於生死而有疲厭；若為斷除客塵煩惱，於諸有情發起大悲，即於生死無有疲厭。菩薩如是為諸有情，處在生死能無疲厭，不為愛見纏繞其心。以無愛見纏繞心故，即於生死無有繫縛。以於生死無繫縛故，即得解脫。以於生死得解脫故，即便有力宣說妙法，令諸有情遠離繫縛，證得解脫。世尊依此密意說言，若自有縛能解他縛無有是處，若自解縛能解他縛斯有是處，是故菩薩應求解脫離諸繫縛。

「又，妙吉祥！何等名為菩薩繫縛？何等名為菩薩解脫？若諸菩薩味著所修靜慮、解脫、等持、等至，是則名為菩薩繫縛；若諸菩薩以巧方便攝諸有生無所貪著，是則名為菩薩解脫。若無方便善攝妙慧，是名繫縛；若有方便善攝妙慧，是名解脫。云何菩薩無有方便善攝妙慧名為繫縛？謂諸菩薩以空、無相、無願之法而自調伏，不以相好瑩飾其身，莊嚴佛土，成熟有情，此諸菩薩無有方便善攝妙慧，名為繫縛。云何菩薩有巧方便善攝妙慧名為解脫？謂諸菩薩以空、無相、無願之法調伏其心，觀察諸法有相、無相修習作證，復以相好瑩飾其身，莊嚴佛土，成熟有情，此諸菩薩有巧方便善攝妙慧，名為解脫。

「云何菩薩無有方便善攝妙慧名為繫縛？謂諸菩薩安住諸見、一切煩惱纏縛、隨眠修諸善本，而不迴向正等菩提，深生執著，此諸菩薩無巧方便善攝妙慧，名為繫縛。云何菩薩有巧方便善攝妙慧，名為解脫？謂諸菩薩遠離諸見、一切煩惱纏縛、隨眠修諸善本，而能迴向正等菩提不生執著，此諸菩薩有巧方便善攝妙慧，名為解脫。

「又，妙吉祥，有疾菩薩應觀諸法身之與疾，悉皆無常、苦、空、無我，是名為慧。雖身有疾，常在生死，饒益有情曾無厭倦，是名方便。又觀身心及與諸疾展轉相依、無始流轉、生滅無間、非新非故，是名為慧。不求身心及與諸疾畢竟寂滅，是名方便。

「又，妙吉祥！有疾菩薩應如是調伏其心，不應安住調伏、不調伏心。所以者何？若住不調伏心，是凡愚法；若住調伏心，是聲聞法。是故菩薩於此二邊，俱不安住，是則名為菩薩所行。若於是處非凡所行，非聖所行，是則名為菩薩所行。若處觀察生死所行，而無一切煩惱所行，是則名為菩薩所行。若處觀察涅槃所行，而不畢竟寂滅所行，是則名為菩薩所行。若處示現四魔所行，而越一切魔事所行，是則名為菩薩所行。若求一切智智所行，而不非時證智所行，是則名為菩薩所行。若求四諦妙智所行，而不非時證諦所行，是則名為菩薩所行。若正觀察內證所行，而故攝受生死所行，是則名為菩薩所行。若行一切緣起所行，而能遠離見趣所行，是則名為菩薩所行。若行一切有情諸法相離所行，而無煩惱隨眠所行，是則名為菩薩所行。若正觀察無生所行，而不墮聲聞正性所行，是則名為菩薩所行。若攝一切有情所行，而無煩惱隨眠所行，是則名為菩薩所行。若正欣樂遠離所行，而不求身心盡滅所行，是則名為菩薩所行。若樂觀察三界所行，而不壞亂法界所行，是則名為菩薩所行。若樂觀察空性所行，而求一切功德所行，是則名為菩薩所行。若樂觀察無相所行，而求度脫有情所行，是則名為菩薩所行。若樂觀察無願所行，而能示現有趣所行，是則名為菩薩所行。若樂遊履無作所行，而常起作一切善根無替所行，是則名為菩薩所行。若樂遊履六度所行，而不趣向一切有情心行妙智彼岸所行，是則名為菩薩所行。若樂觀察慈、悲、喜、捨無量所行，而不求生梵世所行，是則名為菩薩所行。若樂遊履六通所行，而不趣證漏盡所行，是則名為菩薩所行。若樂建立諸法所行，而不攀緣邪道所行，是則名為菩薩所行。若樂觀察六念所行，而不隨生諸漏所行，是則名為菩薩所行。若樂觀察非障所行，而不希求雜染所行，是則名為菩薩所行。若樂觀察靜慮、解脫、等持、等至諸定所行，而能不隨諸定勢力受生所行，是則名為菩薩所行。若樂遊履念住所行，而不樂求身、受、心、法遠離所行，是則名為菩薩所行。若樂遊履正斷所行，而不見善及與不善二種所行，是則名為菩薩所行。若樂遊履神足所行，而無功用變現自在神足所行，是則名為菩薩所行。若樂遊履五根所行，而不分別一切有情諸根勝劣妙智所行，是則名為菩薩所行。若樂安立五力所行，而求如來十力所行，是則名為菩薩所行。若樂安立七等覺支圓滿所行，不求佛法差別妙智善巧所行，是則名為菩薩所行。若樂安立八聖道支圓滿所行，而不厭背邪道所行，是則名為菩薩所行。若求止觀資糧所行，不墮畢竟寂滅所行，是則名為菩薩所行。若樂觀察無生滅相諸法所行，而以相好莊嚴其身，成滿種種佛事所行，是則名為菩薩所行。若樂示現聲聞、獨覺威儀所行，而不棄捨一切佛法緣慮所行，是則名為菩薩所行。若隨諸法究竟清淨，本性常寂妙定所行，非不隨順一切有情種種所樂威儀所行，是則名為菩薩所行。若樂觀察一切佛土其性空寂，無成無壞如空所行，非不示現種種功德莊嚴佛土、饒益一切有情所行，是則名為菩薩所行。若樂示現一切佛法轉於法輪，入大涅槃佛事所行，非不修行諸菩薩行差別所行，是則名為菩薩所行。」說是一切菩薩所行希有事時，是妙吉祥所將衆中八億天子聞所說法，皆於無上正等菩提，發心趣向。

說無垢稱經不思議品第六

時，舍利子見此室中無有床座，竊作是念：「此諸菩薩及大聲聞，當於何坐？」

時，無垢稱知舍利子心之所念，便即語言：「唯！舍利子！為法來耶？求床坐耶？」

舍利子言：「我為法來，非為床座。」

無垢稱言：「唯！舍利子！諸求法者，不顧身命，何況床座？又，舍利子！諸求法者，不求色蘊乃至識蘊。諸求法者，不求眼界乃至意識界。諸求法者，不求眼處乃至法處。諸求法者，不求欲界、色、無色界。

「又，舍利子！諸求法者，不求佛執及法、僧執。諸求法者，不求知苦、斷集、證滅及與修道。所以者何？法無戲論。若謂：『我當知苦、斷集、證滅、修道。』即是戲論，非謂求法。

「又，舍利子！諸求法者，不求於生，不求於滅。所以者何？法名寂靜及近寂靜，若行生滅，是求生滅，非謂求法，非求遠離。諸求法者，不求貪染。所以者何？法無貪染，離諸貪染。若於諸法乃至涅槃少有貪染，是求貪染，非謂求法。

「又，舍利子！諸求法者，不求境界。所以者何？法非境界。若數一切境界所行，是求境界，非謂求法。

「又，舍利子！諸求法者，不求取捨。所以者何？法無取捨。若取捨法，是求取捨，非謂求法。

「又，舍利子！諸求法者，不求攝藏。所以者何？法無攝藏。若樂攝藏，是求攝藏，非謂求法。

「又，舍利子！諸求法者，不求法相。所以者何？法名無相。若隨相識，即是求相，非謂求法。

「又，舍利子！諸求法者，不共法住。所以者何？法無所住。若與法住，即是求住，非謂求法。

「又，舍利子！諸求法者，不求見聞及與覺知。所以者何？法不可見聞覺知。若行見聞覺知，是求見聞覺知，非謂求法。

「又，舍利子！諸求法者，不求有為。所以者何？法名無為，離有為性。若行有為，是求有為，非謂求法。

「是故，舍利子！若欲求法，於一切法應無所求。」

說是法時，五百天子遠塵離垢，於諸法中得法眼淨。

時，無垢稱問妙吉祥：「仁者！曾遊十方世界無量無數百千俱胝諸佛國土，何等佛土有好上妙具足功德大師子座？」

妙吉祥言：「東方去此過三十六殑伽沙等諸佛國土，有佛世界名曰山幢。彼土如來號山燈王，今正現在，安隱住持，其佛身長八十四億踰膳那量，其師子座高六十八億踰膳那量。彼菩薩身長四十二億踰膳那量，其師子座高三十四億踰膳那量。居士！當知彼土如來師子之座，最為殊妙具諸功德。」

時，無垢稱攝念入定，發起如是自在神通，即時東方山幢世界山燈王佛，遣三十二億大師子座，高廣嚴淨甚可愛樂，乘空來入無垢稱室，此諸菩薩及大聲聞、釋、梵、護世諸天子等，昔所未見，先亦未聞，其室欻然廣博嚴淨，悉能*包容三十二億師子之座，不相妨礙，廣嚴大城及贍部洲、四大洲等，諸世界中城邑、聚落、國土、王都、天、龍、藥叉、阿素洛等所住宮殿亦不迫迮，悉見如本前後無異。

時，無垢稱語妙吉祥：「就師子座！與諸菩薩及大聲聞，如所敷設俱可就座，當自變身稱師子座。」

其得神通諸大菩薩，各自變身為四十二億踰膳那量，昇師子座端嚴而坐。其新學菩薩皆不能昇師子之座，時無垢稱為說法要，令彼一切得五神通，即以神力各自變身為四十二億踰膳那量，昇師子座端嚴而坐。其中復有諸大聲聞，皆不能昇師子之座。

時，無垢稱語舍利子：「仁者！云何不昇此座？」

舍利子言：「此座高廣，吾不能昇。」

無垢稱言：「唯！舍利子！宜應禮敬山燈王佛請加神力，方可得坐。」時大聲聞咸即禮敬山燈王佛請加神力，便即能昇師子之座端嚴而坐。

舍利子言：「甚奇！居士！如此小室乃能容受爾所百千高廣嚴淨師子之座，不相妨礙，廣嚴大城及贍部洲、四大洲等諸世界中城邑、聚落、國土、王都、天、龍、藥叉、阿素洛等所有宮殿，亦不迫迮，悉見如本前後無異！」

無垢稱言：「唯！舍利子！諸佛、如來、應、正等覺及不退菩薩，有解脫名不可思議。若住如是不可思議解脫菩薩，妙高山王高廣如是，能以神力內芥子中，而令芥子形量不增，妙高山王形量不減。雖現如是神通作用，而不令彼四大天王、三十三天知見我等何往何入，唯令所餘覩神通力調伏之者，知見妙高入乎芥子。如是安住不可思議解脫菩薩，方便善巧智力所入不可思議解脫境界，非諸聲聞、獨覺所測。

「又，舍利子！若住如是不可思議解脫菩薩，四大海水深廣如是，能以神力內一毛孔，而令毛孔形量不增，四大海水形量不減。雖現如是神通作用，而不令彼諸龍、藥叉、阿素洛等知見我等何往何入，亦不令彼魚鼈、黿鼉及餘種種水族生類、諸龍神等一切有情憂怖惱害，唯令所餘覩神通力調伏之者，知見如是四大海水入於毛孔。如是安住不可思議解脫菩薩，方便善巧智力所入不可思議解脫境界，非諸聲聞、獨覺所測。

「又，舍利子！若住如是不可思議解脫菩薩，如是三千大千世界形量廣大，能以神力方便斷取置右掌中，如陶家輪速疾旋轉，擲置他方殑伽沙等世界之外，又復持來還置本處，而令世界無所增減。雖現如是神通作用，而不令彼居住有情知見我等何去何還，都不令其生往來想亦無惱害，唯令所餘覩神通力調伏之者，知見世界有去有來。如是安住不可思議解脫菩薩，方便善巧智力所入不可思議解脫境界，非諸聲聞、獨覺所測。

「又，舍利子！若住如是不可思議解脫菩薩，或諸有情宜見生死多時相續而令調伏；或諸有情宜見生死少時相續而令調伏，能以神力隨彼所宜，或延七日以為一劫，令彼有情謂經一劫；或促一劫以為七日，令彼有情謂經七日，各隨所見而令調伏。雖現如是神通作用，而不令彼所化有情覺知如是時分延促，唯令所餘覩神通力調伏之者，覺知延促。如是安住不可思議解脫菩薩，方便善巧智力所入不可思議解脫境界，非諸聲聞、獨覺所測。

「又，舍利子！若住如是不可思議解脫菩薩，能以神力集一切佛功德莊嚴清淨世界，置一佛土示諸有情。又以神力，取一佛土一切有情置之右掌，乘意勢通遍到十方，普示一切諸佛國土，雖到十方一切佛土，住一佛國而不移轉。又以神力，從一毛孔現出一切上妙供具，遍歷十方一切世界，供養諸佛、菩薩、聲聞。又以神力，於一毛孔普現十方一切世界所有日、月、星辰、色像。又以神力，乃至十方一切世界大風輪等，吸置口中而身無損，一切世界草木叢林，雖遇此風竟無搖動。又以神力，十方世界所有佛土劫盡燒時，總一切火內置腹中，雖此火勢熾焰不息，而於其身都無損害。又以神力，過於下方無量俱胝殑伽沙等諸佛世界，舉一佛土擲置上方，過於俱胝殑伽沙等諸佛世界一佛土中，如以針鋒舉小棗葉，擲置餘方都無所損。雖現如是神通作用，而無緣者不見不知，於諸有情竟無惱害，唯令一切覩神通力調伏之者，便見是事。如是安住不可思議解脫菩薩，方便善巧智力所入不可思議解脫境界，非諸聲聞、獨覺所測。

「又，舍利子！若住如是不可思議解脫菩薩，能以神力，現作佛身種種色像，或現獨覺及諸聲聞種種色像，或現菩薩種種色像，諸相、隨好具足莊嚴，或復現作梵王、帝釋、四大天王、轉輪王等一切有情種種色像。或以神力，變諸有情令作佛身及諸菩薩、聲聞、獨覺、釋、梵、護世、轉輪王等種種色像。或以神力，轉變十方一切有情上、中、下品音聲差別，皆作佛聲，第一微妙。從此佛聲演出無常、苦、空、無我、究竟涅槃寂靜義等言詞差別，乃至一切諸佛、菩薩、聲聞、獨覺說法音聲皆於中出；乃至十方諸佛說法，所有一切名句文身、音聲差別，皆從如是佛聲中出，普令一切有情得聞，隨乘差別悉皆調伏。或以神力，普於十方隨諸有情言音差別，如其所應出種種聲演說妙法，令諸有情各得利益。

「唯！舍利子！我今略說安住如是不可思議解脫菩薩，方便善巧智力所入不可思議解脫境界。若我廣說，或經一劫，或一劫餘，或復過此，智慧辯才終不可盡。如我智慧辯才無盡，安住如是不可思議解脫菩薩，方便善巧智力所入不可思議解脫境界亦不可盡，以無量故。」

爾時，尊者大迦葉波，聞說安住不可思議解脫菩薩不可思議解脫神力，歎未曾有，便語尊者舍利子言：「譬如有人對生盲者，雖現種種差別色像，而彼盲者都不能見，如是一切聲聞、獨覺，皆若生盲無殊勝眼，聞說安住不可思議解脫菩薩，所現難思解脫神力，乃至一事亦不能了。誰有智者男子、女人，聞說如是不可思議解脫神力，不發無上正等覺心。我等今者於此大乘如燋敗種，永絕其根，復何所作。我等一切聲聞、獨覺，聞說如是不⊙可思議解脫神力，皆應號泣聲震三千大千世界；一切菩薩聞說如是不可思議解脫神力，皆應欣慶頂戴受持，如王太子受灌頂位，生長堅固信解勢力。若有菩薩聞說如是不可思議解脫神力，堅固信解，一切魔王及諸魔眾，於此菩薩無所能為。」當於尊者大迦葉波說是語時，眾中三萬二千天子皆發無上正等覺心。

時，無垢稱即語尊者迦葉波言：「十方無量無數世界作魔王者，多是安住不可思議解脫菩薩，方便善巧現作魔王，為欲成熟諸有情故。

「大迦葉波！十方無量無數世界一切菩薩，諸有來求手足、耳鼻、頭目、髓腦、血肉、筋骨一切支體，妻妾、男女、奴婢、親屬、村城、聚落、國邑、王都、四大洲等種種王位，財穀、珍寶、金銀、真珠、珊瑚、螺貝吠、琉璃等諸莊嚴具，房舍、床座、衣服、飲食、湯藥、資產、象馬、輦輿、大小諸船、器仗、軍衆，如是一切逼迫菩薩而求乞者，多是安住不可思議解脫菩薩。以巧方便現為斯事試驗菩薩，令其了知意樂堅固。所以者何？增上勇猛諸大菩薩，為欲饒益諸有情故，示現如是難為大事，凡夫下劣無復勢力，不能如是逼迫菩薩為此乞求。

「大迦葉波！譬如螢火終無威力映蔽日輪，如是凡夫及下劣位，無復勢力逼迫菩薩為此乞求。

「大迦葉波！譬如龍象現威鬪戰非驢所堪，唯有龍象能與龍象為斯戰諍，如是凡夫及下劣位，無有勢力逼迫菩薩，唯有菩薩，能與菩薩共相逼迫，是名安住不可思議解脫菩薩，方便善巧智力所入不可思議解脫境界。」

說此法時，八千菩薩得入菩薩方便善巧智力所入不可思議解脫境界。

說無垢稱經卷第三

，愛憎斷故；修大悲慈，顯大乘故；修無諍慈，觀無我故；修無厭慈，觀性空故；修法施慈，離師捲故；修淨戒慈，成熟犯戒諸有情故；修堪忍慈，隨護自他令無損故；修精進慈，荷負有情利樂事故；修靜慮慈，無愛味故；修般若慈，於一切時現知法故；修方便慈，於一切門普示現故；修妙願慈，無量大願所引發故；修大力慈，能辦一切廣大事故；修若那慈，了知一切法性相故；修神通慈，不壞一切法性相故；修攝事慈，方便攝益諸有情故；修無著慈，無礙染故；修無詐慈，意樂淨故；修無諂慈，加行淨故；修無誑慈，不虛假故；修深心慈，離瑕穢故；修安樂慈，建立諸佛安樂事故。唯！妙吉祥！是名菩薩修於大慈。」

妙吉祥言：「云何菩薩修於大悲？」

無垢稱言：「所有造作增長善根，悉皆棄捨施諸有情，一切無悋，是名菩薩修於大悲。」

妙吉祥言：「云何菩薩修於大喜？」

無垢稱言：「於諸有情作饒益事，歡喜無悔，是名菩薩修於大喜。」

妙吉祥言：「云何菩薩修於大捨？」

無垢稱言：「平等饒益，不望果報，是名菩薩修於大捨。」

妙吉祥言：「若諸菩薩怖畏生死，當何所依？」

無垢稱言：「若諸菩薩怖畏生死，常正依住諸佛大我。」

又問：「菩薩欲住大我，當云何住？」

曰：「欲住大我，當於一切有情平等解脫中住。」

又問：「欲令一切有情解脫，當何所除？」

曰：「欲令一切有情解脫，除其煩惱。」

又問：「欲除一切有情煩惱，當何所修？」

曰：「欲除一切有情煩惱，當修如理觀察作意。」

又問：「欲修如理觀察作意，當云何修？」

曰：「欲修如理觀察作意，當修諸法不生不滅。」

又問：「何法不生？何法不滅？」

曰：「不善不生，善法不滅。」
又問：「善、不善法孰為本？」
曰：「以身為本。」
又問：「身孰為本？」
曰：「欲貪為本。」
又問：「欲貪孰為本？」
曰：「虛妄分別為本。」
又問：「虛妄分別孰為本？」
曰：「倒想為本。」
又問：「倒想孰為本？」
曰：「無住為本。」
妙吉祥言：「如是無住孰為其本？」
無垢稱言：「斯問非理。所以者何？夫無住者，即無其本，亦無所住，由無其本、無所住故，即能建立一切諸法。」

時，無垢稱室中有一本住天女，見諸大人聞所說法，得未曾有，踴躍歡喜，便現其身，即以天花散諸菩薩、大聲聞眾。時彼天花，至菩薩身即便墮落，至大聲聞便著不墮。時聲聞眾各欲去華，盡其神力皆不能去。

爾時，天女即問尊者舍利子言：「何故去華？」

舍利子言：「華不如法，我故去之。」

天女言：「止！勿謂此華為不如法。所以者何？是華如法，惟尊者等自不如法。所以者何？華無分別、無異分別，惟尊者等自有分別、有異分別，於善說法毘奈耶中，諸出家者若有分別、有異分別，則不如法；若無分別、無異分別，是則如法。

「惟！舍利子！觀諸菩薩華不著者，皆由永斷一切分別及異分別；觀諸聲聞華著身者，皆由未斷一切分別及異分別。

「惟！舍利子！如人有畏時，非人得其便；若無所畏，一切非人不得其便。

若畏生死業煩惱者，即為色、聲、香、味、觸等而得其便；不畏生死業煩惱者，世間色、聲、香、味、觸等不得其便。又，舍利子！若煩惱習未永斷者，華著其身；若煩惱習已永斷者，華不著也。」

舍利子言：「天止此室，經今幾何？」

天女答言：「我止此室，如舍利子所住解脫。」

舍利子言：「天止此室如是久耶？」

天女復言：「所住解脫亦何如久？」

時，舍利子默然不答。

天曰：「尊者是大聲聞具大慧辯，得此小問默不見答？」

舍利子言：「夫解脫者離諸名言，吾今於此竟知何說。」

天曰：「所說文字皆解脫相。所以者何？如此解脫非內非外、非離二種中間可得。文字亦爾，非內非外、非離二種中間可得。是故無離文字說於解脫。所以者何？以其解脫與一切法其性平等。」

舍利子言：「豈不以離貪、瞋、癡等為解脫耶？」

天曰：「佛為諸增上慢者說離一切貪、瞋、癡等以為解脫，若為遠離增上慢者，即說一切貪、瞋、癡等本性解脫。」

舍利子言：「善哉！天女！汝何得證慧辯若斯？」

天曰：「我今無得無證，慧辯如是，若言我今有得有證，即於善說法毘奈耶為增上慢。」

舍利子言：「汝於三乘，為何發趣？」

天女答言：「我於三乘，竝皆發趣。」

舍利子言：「汝何密意，作如是說？」

天曰：「我常宣說大乘，令他聞故，我為聲聞；自然現覺真法性故，我為獨覺；常不捨離大慈悲故，我為大乘。

「又，舍利子！我為化度求聲聞乘諸有情故，我為聲聞；我為化度求獨覺乘諸有情故，我為獨覺；我為化度求無上乘諸有情故，我為大乘。

「唯！舍利子！此室常現八未曾有殊勝之法，誰有見斯不思議事，而復發心樂求聲聞、獨覺法乎？」

時，舍利子問天女言：「汝今何不轉此女身？」

天女答言：「我居此室十有二年，求女人性了不可得，當何所轉？惟！舍利子！譬如幻師化作幻女，若有問言：『汝今何不轉此女身？』為正問不？」

舍利子言：「不也！天女！幻既非實，當何所轉！」

天曰：「如是諸法性相皆非真實，猶如幻化，云何乃問不轉女身？」

即時，天女以神通力，變舍利子令如天女，自變其身如舍利子，而問之言：「尊者！云何不轉女身？」

時，舍利子以天女像而答之言：「我今不知轉滅男身轉生女像。」

天女復言：「尊者！若能轉此女身，一切女身亦當能轉。如舍利子實非是女而現女身，一切女身亦復如是，雖現女身而實非女。世尊依此密意說言，一切諸法非男非女。」

爾時，天女作是語已，還攝神力各復本形，問舍利子：「尊者！女身今何所在？」

舍利子言：「今我女身無在無變。」

天曰：「尊者！善哉！善哉！一切諸法亦復如是，無在無變，說一切法無在無變，是真佛語。」

時，舍利子問天女言：「汝於此沒當生何所？」

天女答言：「如來所化當所生處，我當生彼。」

舍利子言：「如來所化無沒無生，云何而言當所生處？」

天曰：「尊者！諸法有情應知亦爾無沒無生，云何問我當生何所？」

時，舍利子問天女言：「汝當久如證得無上正等菩提？」

天女答言：「如舍利子還成異生，具異生法，我證無上正等菩提久近亦爾。」

舍利子言：「無處無位，我當如是還成異生，具異生法。」

天曰：「尊者！我亦如是無處無位，當證無上正等菩提。所以者何？無上菩提無有住處，是故亦無證菩提者。」

舍利子言：「若爾云何佛說諸佛如殑伽沙現證無上正等菩提、已證、當證？」

天曰：「尊者！皆是文字俗數語言，說有三世諸佛證得，非謂菩提有去、來、今。所以者何？無上菩提超過三世。又舍利子！汝已證得阿羅漢耶？」

舍利子言：「不得而得，得無所得。」

天曰：「尊者！菩提亦爾，不證而證，證無所證。」

時，無垢稱即語尊者舍利子言：「如是天女，已曾供養親近承事九十有二百千俱胝那庾多佛，已能遊戲神通，智慧所願滿足，得無生忍，已於無上正等菩提永不退轉，乘本願力如其所欲，隨所宜處成熟有情。」

說無垢稱經菩提分品第八

時，妙吉祥問無垢稱：「云何菩薩於諸佛法到究竟趣？」

無垢稱言：「若諸菩薩行於非趣，乃於佛法到究竟趣。」

妙吉祥言：「云何菩薩行於非趣？」

無垢稱言：「若諸菩薩，雖復行於五無間趣，而無恚惱忿害毒心。雖復行於那落迦趣，而離一切煩惱塵垢。雖復行於諸傍生趣，而離一切黑暗無明。雖復行於阿素洛趣，而離一切傲慢憍逸。雖復行於琰魔王趣，而集廣大福慧資糧。雖復行於無色定趣，而能於彼不樂趣向。雖復示行貪欲行趣，而於一切所受欲中離諸染著。雖復示行瞋恚行趣，而於一切有情境界離諸瞋恚，無損害心。雖復示行愚癡行趣，而於諸法遠離一切黑暗無明，以智慧明而自調伏。雖復示行慳貪行趣，而能棄捨諸內外事，不顧身命。雖復示行犯戒行趣，而能安立一切尸羅，杜多功德少欲知足，於小罪中見大怖畏。雖復示行瞋忿行趣，而能究竟安住慈悲心，無恚惱。雖復示行懈怠行趣，而能勤習一切善根，精進無替。雖復示行根亂行趣，而常恬默，安止靜慮。雖復示行惡慧行趣，而善通達一切世間、出世間信至究竟慧波羅蜜多。雖復示行諂詐行趣，而能成辦方便善巧。雖復示行密語方便憍慢行趣，而為成立濟度橋梁。雖復示行一切世間煩惱行趣，而性清淨究竟無染。雖復示行衆魔行趣，而於一切佛法覺慧，而自證知，不隨他緣。雖復示行聲聞行趣，而為有情說未聞法。雖復示行獨覺行趣，而為成辦大慈大悲、成熟有情。雖復現處諸貧窮趣，而得寶手珍財無盡。雖復現處諸缺根趣，而具相好妙色嚴身。雖復現處卑賤生趣，而生佛家種姓尊貴，積集殊勝福慧資糧。雖復現處羸劣醜陋，衆所憎趣，而得勝妙那羅延身，一切有情常所樂見。雖復現處諸老病趣，而能畢竟除老病根，超諸死畏。雖復現處求財位趣，而多修習觀無常想，息諸悕求。雖復現處宮室妓女諸戲樂趣，而常超出諸欲淤泥，修習畢竟遠離之行。雖復現處諸頑嚚趣，而具種種才辯莊嚴，得陀羅尼念慧無失。雖復現處諸邪道趣，而以正道度諸世間。雖復現處一切生趣，而實永斷一切趣生。雖復現處般涅槃趣，而常不捨生死相續。雖復示現得妙菩提，轉大法輪入涅槃趣，而復勤修諸菩薩行相續無斷。唯！妙吉祥！菩薩如是行於非趣，乃得名為於諸佛法到究竟趣。」

時，無垢稱問妙吉祥：「何等名為如來種性？願為略說。」

妙吉祥言：「所謂：一切偽身種性，是如來種性；一切無明有愛種性，是如來種性；貪欲、瞋恚、愚癡種性，是如來種性；四種虛妄顛倒種性，是如來種性；如是所有五蓋種性、六處種性、七識住種性、八邪⊙性種性、九惱事種性、十種不善業道種性，是如來種性。以要言之，六十二見、一切煩惱、惡不善法所有種性，是如來種性。」

無垢稱言：「依何密意作如是說？」

妙吉祥言：「非見無為已入正性離生位者，能發無上正等覺心；要住有為煩惱諸行未見諦者，能發無上正等覺心。譬如高原陸地，不生殟鉢羅花、鉢特摩花、拘母陀花、奔荼利花，要於卑濕穢淤泥中，乃得生此四種花。如是聲聞、獨覺種性，已見無為已入正性離生位者，終不能發一切智心；要於煩惱諸行卑濕穢淤泥中，方能發起一切智心，於中生長諸佛法故。

「又，善男子！譬如植種置於空中終不生長，要植卑濕糞壤之地乃得生長。如是聲聞、獨覺種性，已見無為已入正性離生位者，不能生長一切佛法；雖起身見如妙高山，而能發起大菩提願，於中生長諸佛法故。

「又，善男子！譬如有人不入大海，終不能得吠琉璃等無價珍寶，不入生死煩惱大海，終不能發無價珍寶一切智心。是故，當知一切生死煩惱種性，是如來種性。」

爾時，尊者大迦葉波歎妙吉祥：「善哉！善哉！極為善說實語、如語、誠無異言，一切生死煩惱種性，是如來種性。所以者何？我等今者心相續中，生死種子悉已燋敗，終不能發正等覺心，寧可成就五無間業，不作我等諸阿羅漢究竟解脫。所以者何？成就五種無間業者，猶能有力盡無間業，發於無上正等覺心，漸能成辦一切佛法。我等漏盡諸阿羅漢永無此能，如缺根士，於妙五欲無所能為，如是漏盡諸阿羅漢，諸結永斷，即於佛法無所能為，不復志求諸佛妙法。是故異生能報佛恩，聲聞、獨覺終不能報。所以者何？異生聞佛、法、僧功德為三寶種，終無斷絕，能發無上正等覺心，漸能成辦一切佛法。聲聞、獨覺假使終身聞說如來力、無畏等乃至所有不共佛法一切功德，終不能發正等覺心。」

爾時，眾中有一菩薩，名曰普現一切色身問無垢稱言：「居士！父母、妻子、奴婢、僕使、親友、眷屬、一切侍衛、象、馬、車乘、御人等類悉為是誰？皆何所在？」

時，無垢稱以妙伽他，而答之曰：

慧度菩薩母，善方便為父，世間真導師，無不由此生。
妙法樂為妻，大慈悲為女，真實諦法男，思空勝義舍。
煩惱為賤隸，僕使隨意轉，覺分成親友，由此證菩提。
六度為眷屬，四攝為妓女，結集正法言，以為妙音樂。
總持作園苑，大法成林樹，覺品華莊嚴，解脫智慧果。
八解之妙池，定水湛然滿，七淨華彌布，洗除諸垢穢。
神通為象馬，大乘以為車，調御菩提心，遊八道支路。
妙相具莊嚴，眾好而綺間，慚愧為衣服，勝意樂為鬘。
具正法珍財，曉示為方便，無倒行勝利，迴向大菩提。
四靜慮為床，淨命為茵蓐，念智常覺悟，無不在定心。

既飡不死法，還飲解脫味，沐浴妙淨心，塗香上品戒。
殄滅煩惱賊，勇健無能勝，摧伏四魔怨，建妙菩提幢。
雖實無起滅，而故思受生，悉現諸佛土，如日光普照。
盡持上妙供，奉獻諸如來，於佛及自身，一切無分別。
雖知諸佛國，及與有情空，而常修淨土，利物無休倦。
一切有情類，色聲及威儀，無畏力菩薩，剎那能盡現。
雖覺諸魔業，而示隨所轉，至究竟方便，有表事皆成。
或示現自身，有諸老病死，成熟諸有情，如遊戲幻法。
或現劫火起，天地皆熾然，有情執常相，照令知速滅。
千俱胝有情，率土咸來請，同時受彼供，皆令趣菩提。
於諸禁呪術，書論衆伎藝，皆知至究竟，利樂諸有情。
世間諸道法，遍於中出家，隨方便利生，而不墮諸見。
或作日月天，梵王世界主，地水及火風，饒益有情類。

能於疾疫劫，現作諸良藥，蠲除諸疾苦，令趣大菩提。
能於飢饉劫，現作諸飯食，先除彼飢渴，說法令安泰。
能於刀兵劫，修慈悲靜慮，令無量有情，欣然無恚害。
能於大戰陣，示現力朋黨，往復令和好，勸發菩提心。
諸佛土無量，地獄亦無邊，悉往其方所，拔苦令安樂。
諸有傍生趣，殘害相食噉，皆現生於彼，利樂名本生。
示受於諸欲，而常修靜慮，惑亂諸惡魔，令不得其便。
如火中生華，說為甚希有，修定而行欲，希有復過此。
或現作婬女，引諸好色者，先以欲相招，後令修佛智。
或為城邑宰，商主及國師，臣僚輔相尊，利樂諸含識。
為諸匱乏者，現作無盡藏，給施除貧苦，令趣大菩提。
於諸憍慢者，現作大力士，摧伏彼貢高，令住菩提願。
於諸恐怖者，方便善安慰，除彼驚悸已，令發菩提心。

現作五通仙，清淨修梵行，皆令善安住，戒忍慈善中。
或見諸有情，現前須給侍，乃為作僮僕，弟子而事之。
隨彼彼方便，令愛樂正法，於諸方便中，皆能善修學。
如是無邊行，及無邊所行，無邊智圓滿，度脫無邊衆。
假令一切佛，住百千劫中，讚述其功德，猶尚不能盡。
誰聞如是法，不願大菩提！除下劣有情，都無有慧者。

說無垢稱經不二法門品第九

時，無垢稱普問衆中諸菩薩曰：「云何菩薩善能悟入不二法門？仁者皆應任己辯才，各隨樂說。」時衆會中有諸菩薩，各隨所樂次第而說。

時有菩薩名法自在，作如是言：「生、滅為二，若諸菩薩了知諸法本來無生，亦無有滅，證得如是無生法忍，是為悟入不二法門。」

復有菩薩名曰勝密，作如是言：「我及我所分別為二，因計我故，便計我所，若了無我亦無我所，是為悟入不二法門。」

復有菩薩名曰無瞬，作如是言：「有取、無取分別為二，若諸菩薩了知無取則無所得，無所得故則無增減，無作無息，於一切法無所執著，是為悟入不二法門。」

復有菩薩名曰勝峯，作如是言：「雜染、清淨分別為二，若諸菩薩了知雜染、清淨無二則無分別，永斷分別趣寂滅跡，是為悟入不二法門。」

復有菩薩名曰妙星，作如是言：「散動、思惟分別為二，若諸菩薩了知一切無有散動、無所思惟則無作意，住無散動、無所思惟，無有作意，是為悟入不二法門。」

復有菩薩名曰妙眼，作如是言：「一相、無相分別為二，若諸菩薩了知諸法無有一相、無有異相、亦無無相，則知如是一相、異相、無相平等，是為悟入不二法門。」

復有菩薩名曰妙臂，作如是言：「菩薩、聲聞二心為二，若諸菩薩了知二心性空如幻，無菩薩心、無聲聞心如是二心，其相平等皆同幻化，是為悟入不二法門。」

復有菩薩名曰育養，作如是言：「善及不善分別為二，若諸菩薩了知善性及不善性，無所發起。相與無相二句平等，無取無捨，是為悟入不二法門。」

復有菩薩名曰師子，作如是言：「有罪、無罪分別為二，若諸菩薩了知有罪及與無罪二皆平等，以金剛慧通達諸法無縛無解，是為悟入不二法門。」

復有菩薩名師子慧，作如是言：「有漏、無漏分別為二，若諸菩薩知一切法性皆平等，於漏、無漏不起二想，不著有想、不著無想，是為悟入不二法門。」

復有菩薩名淨勝解，作如是言：「有為、無為分別為二，若諸菩薩了知二法性皆平等，遠離諸行，覺慧如空，智善清淨無執無遣，是為悟入不二法門。」

復有菩薩名那羅延，作如是言：「世、出世間分別為二，若諸菩薩了知世間本性空寂，無入無出，無流無散，亦不執著，是為悟入不二法門。」

復有菩薩名調順慧，作如是言：「生死、涅槃分別為二，若諸菩薩了知生死其性本空，無有流轉，亦無寂滅，是為悟入不二法門。」

復有菩薩名曰現見，作如是言：「有盡、無盡分別為二，若諸菩薩了知都無有盡、無盡，要究竟盡乃名為盡。若究竟盡不復當盡，則名無盡。又有盡者，謂一剎那、一剎那中定無有盡，則是無盡。有盡無故，無盡亦無，了知有盡、無盡性空，是為悟入不二法門。」

復有菩薩名曰普密，作如是言：「有我、無我分別為二，若諸菩薩了知有我尚不可得，何況無我？見我、無我其性無二，是為悟入不二法門。」

復有菩薩名曰電天，作如是言：「明與無明分別為二，若諸菩薩了知無明本性是明，明與無明俱不可得，不可算計、超算計路，於中現觀平等無二，是為悟入不二法門。」

復有菩薩名曰憙見，作如是言：「色、受、想、行及識與空分別為二，若知取蘊性本是空，即是色空，非色滅空，乃至識蘊亦復如是，是為悟入不二法門。」

復有菩薩名曰光幢，作如是言：「四界與空分別為二，若諸菩薩了知四界即虛空性，前、中、後際四界與空，性皆無倒，悟入諸界，是為悟入不二法門。」

復有菩薩名曰妙慧，作如是言：「眼色、耳聲、鼻香、舌味、身觸、意法分別為二，若諸菩薩了知一切其性皆空，見眼自性於色無貪、無瞋、無癡，如是乃至見意自性，於法無貪、無瞋、無癡，此則為空。如是見已寂靜安住，是為悟入不二法門。」

復有菩薩名無盡慧，作如是言：「布施、迴向一切智性各別為二，如是分別戒、忍、精進、靜慮、般若及與迴向一切智性各別為二。若了布施即所迴向一切智性，此所迴向一切智性即是布施，如是乃至般若自性即所迴向一切智性，此所迴向一切智性即是般若。了此一理，是為悟入不二法門。」

復有菩薩名甚深覺，作如是言：「空、無相、無願分別為二，若諸菩薩了知空中都無有相，此無相中亦無有願，此無願中無心、無意、無識可轉，如是即於一解脫門，具攝一切三解脫門。若此通達，是為悟入不二法門。」

復有菩薩名寂靜根，作如是言：「佛、法、僧寶分別為二，若諸菩薩了知佛性即是法性，法即僧性，如是三寶皆無為相，與虛空等諸法亦爾。若此通達，是為悟入不二法門。」

復有菩薩名無礙眼，作如是言：「是薩迦耶及薩迦耶滅分別為二，若諸菩薩知薩迦耶即薩迦耶滅，如是了知畢竟不起薩迦耶見，於薩迦耶、薩迦耶滅即無分別、無異分別，證得此二究竟滅性，無所猜疑、無驚無懼，是為悟入不二法門。」

復有菩薩名善調順，作如是言：「是身、語、意三種律儀分別為二，若諸菩薩了知如是三種律儀，皆無作相，其相無二。所以者何？此三業道皆無作相，身無作相即語無作相，語無作相即意無作相，意無作相即一切法俱無作相。若能隨入無造作相，是為悟入不二法門。」

復有菩薩名曰福田，作如是言：「罪行、福行及不動行分別為二，若諸菩薩了知罪行、福及不動皆無作相，其相無二。所以者何？罪、福、不動，如是三行性相皆空，空中無有罪、福、不動三行差別。如是通達，是為悟入不二法門。」

復有菩薩名曰華嚴，作如是言：「一切二法皆從我起，若諸菩薩知我實性即

此諸菩薩說是法時，於衆會中五千菩薩皆得悟入不二法門，俱時證會無生法忍。

說無垢稱經卷第四

說無垢稱經卷第五

大唐三藏法師玄奘⊙奉詔☆譯

香臺佛*品第十

時，舍利子作是思惟：「食時將至，此摩訶薩說法未起，我等聲聞及諸菩薩，當於何食？」

時，無垢稱知彼思惟，便告之曰：「大德！如來為諸聲聞說八解脫，仁者已住，勿以財食染污其心而聞正法，若欲食者且待須臾，當令皆得未曾有食。」

時，無垢稱便入如是微妙寂定，發起如是殊勝神通，示諸菩薩、大聲聞衆，上方界分去此佛土過四十二殑伽沙等諸佛世界，有佛世界名一切妙香。其中有佛號最上香臺，今現在彼安隱住持。彼世界中有妙香氣，比餘十方一切佛土人天之香，最為第一。彼有諸樹皆出妙香，普薰方域一切周滿。彼中無有二乘之名，唯有清淨大菩薩眾，而彼如來為其說法。彼世界中一切臺觀、宮殿、經行園林、衣服皆是種種妙香所成。彼佛世尊及菩薩眾，所食香氣微妙第一，普薰十方無量佛土。時彼如來與諸菩薩方共坐食，彼有天子名曰香嚴，已於大乘深心發趣，供養承事彼土如來及諸菩薩。時此大眾一切皆覩彼界如來，與諸菩薩方共坐食如是等事。

時，無垢稱遍告一切菩薩眾言：「汝等大士！誰能往彼取妙香食？」以妙吉祥威神力故，諸菩薩眾咸皆默然。

時，無垢稱告妙吉祥：「汝今云何於此大眾而不加護，令其乃爾？」妙吉祥言：「居士！汝今不應輕毀諸菩薩眾，如佛所言勿輕未學。」

時，無垢稱不起于床，居眾會前化作菩薩，身真金色相好莊嚴，威德光明蔽於眾會而告之曰：「汝善男子！宜往上方去此佛土過四十二殑伽沙等諸佛世界，有佛世界名一切妙香。其中有佛號最上香臺，與諸菩薩方共坐食，汝往到彼頂禮佛足，應作是言：『於此下方有無垢稱，稽首雙足敬問世尊：少病、少惱、起居輕利、氣力康和、安樂住不？』遙心右繞多百千匝，頂禮雙足作如是言：『願得世尊所食之餘，當於下方堪忍世界施作佛事，令此下劣欲樂有情當欣大慧，亦使如來無量功德名稱普聞。』」

時，化菩薩於眾會前上昇虛空，舉眾皆見，神通迅疾，經須臾頃，便到一切妙香世界，頂禮最上香臺佛足。又聞其言：「下方菩薩名無垢稱，稽首雙足敬問世尊，少病、少惱、起居輕利、氣力康和、安樂住不？」遙心右繞多百千匝，頂禮雙足作如是言：「願得世尊所食之餘，當於下方堪忍世界施作佛事，令此下劣欲樂有情當欣大慧，亦使如來無量功德名稱普聞。」

時彼上方菩薩眾會，見化菩薩相好莊嚴，威德光明微妙殊勝歎未曾有：「今此大士從何處來？堪忍世界為在何所？云何名為下劣欲樂？」尋問最上香臺如來，唯願世尊為說斯事。

佛告之曰：「諸善男子！於彼下方去此佛土過四十二殑伽沙等諸佛世界，有佛世界名曰堪忍。其中佛號釋迦牟尼如來、應、正等覺，今現在彼安隱住持，居五濁世，為諸下劣欲樂有情宣揚正法。彼有菩薩名無垢稱，已得安住不可思議解脫法門，為諸菩薩開示妙法，遣化菩薩來至此間，稱揚我身功德名號，并讚此土眾德莊嚴，令彼菩薩善根增進。」

彼菩薩眾咸作是言：「其德何如乃作是化？大神通力無畏若斯！」

彼佛告言：「諸善男子！是大菩薩成就殊勝大功德法，一剎那頃，化作無量無邊菩薩，遍於十方一切國土，皆遣其往施作佛事，利益安樂無量有情。」

於是最上香臺如來以能流出眾妙香器，盛諸妙香所薰之食，授無垢稱化菩薩手。時彼佛土有九百萬大菩薩僧，同時舉聲請於彼佛：「我等欲與此化菩薩俱往下方堪忍世界，瞻仰釋迦牟尼如來，禮敬供事聽聞正法，并欲瞻仰禮敬供事彼無垢稱及諸菩薩，唯願世尊加護聽許。」

彼佛告曰：「諸善男子！汝便可往今正是時，汝等皆應自攝身香入堪忍界，勿令彼諸有情醉悶放逸。汝等皆應自隱色相入堪忍界，勿令彼諸菩薩心生愧恥。汝等於彼堪忍世界，勿生劣想而作障礙。所以者何？諸善男子！一切國土皆如虛空，諸佛世尊為欲成熟諸有情故，隨諸有情所樂示現種種佛土，或染或淨無決定相，而諸佛土實皆清淨無有差別。」

時，化菩薩受滿食器，與九百萬諸菩薩僧，承彼佛威神及無垢稱力，於彼界沒經須臾頃至於此土無垢稱室，欻然而現。時無垢稱化九百萬師子之座，微妙莊嚴，與前所坐諸師子座都無有異，令諸菩薩皆坐其上。時化菩薩以滿食器授無垢稱，如是食器妙香普薰，廣嚴大城及此三千大千世界，無量無邊妙香薰故，一切世界香氣芬馥，廣嚴大城諸婆羅門、長者、居士、人非人等，聞是香氣得未曾有，驚歎無量，身心踊悅。

時此城中離呫毘王名為月蓋，與八萬四千離呫毘種，種種莊嚴悉來入于無垢稱室，見此室中諸菩薩眾其數甚多，諸師子座高廣嚴飾，生大歡喜歎未曾有，禮諸菩薩及大聲聞卻住一面。時諸地神及虛空神，并欲、色界諸天子眾聞是妙香，

恨是瞋恨果，此是懈怠是懈怠果，此是心亂是心亂果，此是愚癡是愚癡果；此受所學，此越所學；此持別解脫，此犯別解脫；此是應作，此非應作；此是瑜伽，此非瑜伽；此是永斷，此非永斷；此是障礙，此非障礙；此是犯罪，此是出罪；此是雜染，此是清淨；此是正道，此是邪道；此是善，此是惡；此是世間，此出世間；此是有罪，此是無罪；此是有漏，此是無漏；此是有為，此是無為；此是功德，此是過失；此是有苦，此是無苦；此是有樂，此是無樂；此可厭離，此可欣樂；此可棄捨，此可修習；此是生死，此是涅槃，如是等法有無量門。此土有情其心剛強，如來說此種種法門，安住其心令其調伏。譬如象馬懭悷不調，加諸楚毒乃至徹骨然後調伏；如是此土剛強有情極難調*伏，如來方便以如是等苦切言詞，慇懃誨喻然後調伏，趣入正法。」

時彼上方諸來菩薩，聞是說已得未曾有，皆作是言：「甚奇！世尊釋迦牟尼！能為難事，隱覆無量尊貴功德，示現如是調伏方便，成熟下劣貧匱有情，以種種門調伏攝益。是諸菩薩居此佛土，亦能堪忍種種勞倦，成就最勝希有堅牢不可思議大悲精進，助揚如來無上正法，利樂如是難化有情。」

無垢稱言：「如是！大士！誠如所說，釋迦如來能為難事，隱覆無量尊貴功德，不憚劬勞方便調伏，如是剛強難化有情。諸菩薩眾生此佛土，亦能堪忍種種勞倦，成就最勝希有堅牢不可思議大悲精進，助揚如來無上正法，利樂如是無量有情。大士！當知堪忍世界行菩薩行，饒益有情經於一生所得功德，多於一切妙香世界百千大劫行菩薩行，饒益有情所得功德。所以者何？堪忍世界略有十種修集善法，餘十方界清淨佛土之所無有。何等為十？一、以惠施攝諸貧窮。二、以淨戒攝諸毀禁。三、以忍辱攝諸瞋恚。四、以精進攝諸懈怠。五、以靜慮攝諸亂意。六、以勝慧攝諸愚癡。七、以說除八無暇法普攝一切無暇有情。八、以宣說大乘正法普攝一切樂小法者。九、以種種殊勝善根普攝未種諸善根者。十、以無上四種攝法恒常成熟一切有情。是為十種修集善法，此堪忍界悉皆具足，餘十方界清淨佛土之所無有。」

時彼佛土諸來菩薩復作是言：「堪忍世界諸菩薩眾，成就幾法無毀無傷，從此命終生餘淨土？」

無垢稱言：「堪忍世界諸菩薩衆，成就八法無毀無傷，從此命終生餘淨土。何等為八？一者、菩薩如是思惟，我於有情應作善事，不應於彼希望善報。二者、菩薩如是思惟，我應代彼一切有情受諸苦惱，我之所有一切善根悉迴施與。三者、菩薩如是思惟，我應於彼一切有情其心平等，心無罣礙。四者、菩薩如是思惟，我應於彼一切有情，摧伏憍慢敬愛如佛。五者、菩薩信解增上，於未聽受甚深經典，暫得聽聞無疑無謗。六者、菩薩於他利養無嫉妒心，於己利養不生憍慢。七者、菩薩調伏自心，常省己過，不譏他犯。八者、菩薩恒無放逸，於諸善法常樂尋求，精進修行菩提分法。堪忍世界諸菩薩衆，若具成就如是八法無毀無傷，從此命終生餘淨土。」

其無垢稱與妙吉祥諸菩薩等，於大衆中宣說種種微妙法時。百千衆生同發無上正等覺心，十千菩薩悉皆證得無生法忍。

說無垢稱經菩薩行品第十一

佛時猶在菴羅衞林為衆說法，於衆會處，其地欻然廣博嚴淨，一切大衆皆*見金色。時，阿難陀即便白佛：「世尊！此是誰之前相？於衆會中欻然如是廣博嚴淨，一切大衆皆現金色！」

佛告具壽阿難陀曰：「是無垢稱與妙吉祥，將諸大衆恭敬圍繞，發意欲來赴斯衆會現此前相。」

時，無垢稱語妙吉祥：「我等今應與諸大士詣如來所，頂禮供事，瞻仰世尊，聽受妙法。」

妙吉祥曰：「今正是時，可同行矣！」

時，無垢稱現神通力，令諸大衆不起本處并師子座住右掌中，往詣佛所到已置地，恭敬頂禮世尊雙足，右繞七匝却住一面，向佛合掌儼然而立。諸大菩薩下師子座，恭敬頂禮世尊雙足，右繞三匝却住一面，向佛合掌儼然而立。諸大聲聞、釋、梵、護世四天王等亦皆避座，恭敬頂禮世尊雙足，却住一面，向佛合掌儼然而立。於是世尊如法慰問諸菩薩等一切大眾，作是告言：「汝等大士！隨其所應各復本座。」時諸大眾蒙佛教勅，各還本座恭敬而坐。

爾時，世尊告舍利子：「汝見最勝菩薩大士自在神力之所為乎？」

舍利子言：「唯然！已見。」

世尊復問：「汝起何想？」

舍利子言：「起難思想。我見大士不可思議，於其作用神力功德，不能算數不能思惟，不能稱量不能述歎。」

時，阿難陀即便白佛：「今所聞香昔*所未有，如是香者為是誰香？」

佛告之言：「是諸菩薩毛孔所出。」

時，舍利子語阿難陀：「我等毛孔亦出是香。」

阿難陀曰：「如是妙香，仁等身內何緣而有？」

舍利子言：「是無垢稱自在神力，遣化菩薩往至上方最上香臺如來佛土，請得彼佛所食之餘，來至室中供諸大衆，其間所有食此食者，一切毛孔皆出是香。」

時，阿難陀問無垢稱：「是妙香氣，當住久如？」

無垢稱言：「乃至此食未皆消盡，其香猶住。」

阿難陀曰：「如是所食其經久如，當皆消盡？」

無垢稱言：「此食勢分七日七夜住在身中，過是已後乃可漸消，雖久未消而不為患。具壽！當知諸聲聞乘未入正性離生位者，若食此食，要入正性離生位已然後乃消。未離欲者，若食此食，要得離欲然後乃消。未解脫者，若食此食，要心解脫然後乃消。諸有大乘菩薩種性未發無上菩提心者，若食此食，要發無上菩提心已然後乃消。已發無上菩提心者，若食此食，要當證得無生法忍然後乃消。其已證得無生忍者，若食此食，要當安住不退轉位然後乃消。其已安住不退位者，若食此食，要當安住一生繫位然後乃消。具壽！當知譬如世間有大藥王名最上味，若有衆生遇遭諸毒遍滿身者，與令服之，乃至諸毒未皆除滅，是大藥王猶未消盡，諸毒滅已然後乃消。食此食者，亦復如是，乃至一切煩惱諸毒未皆除滅，

悲、大喜、大捨利益安樂，威儀所行正行壽量，說法度脫成熟有情，清淨佛土悉皆平等。以諸如來一切佛法悉皆平等，最上周圓究竟無盡，是故皆同名正等覺，名為如來，名為佛陀。汝今當知設令我欲分別廣說此三句義，汝經劫住無間聽受，窮其壽量亦不能盡。假使三千大千世界有情之類，皆如阿難得念總持多聞第一，咸經劫住無間聽受，窮其壽量亦不能盡此正等覺、如來、佛陀三句妙義，無能究竟宣揚決擇，唯除諸佛。如是當知諸佛菩提功德無量，無滯妙辯不可思議。」

說是語已，時阿難陀白言：「世尊！我從今去不敢自稱得念總持多聞第一。」佛便告曰：「汝今不應心生退屈。所以者何？我自昔來但說汝於聲聞眾中得念總持多聞第一，非於菩薩。汝今且止！其有智者，不應測量諸菩薩事。汝今當知一切大海源底深淺猶可測量，菩薩智慧、念、定、總持辯才大海無能測者。汝等聲聞置諸菩薩所行境界不應思惟，於一食頃是無垢稱示現變化所作神通，一切聲聞及諸獨覺百千大劫示現變化神力所作，亦不能及。」

時，彼上方諸來菩薩，皆起禮拜釋迦牟尼，合掌恭敬白言：「世尊！我等初來見此佛土種種雜穢，生下劣想，今皆悔愧，捨離是心。所以者何？諸佛境界方便善巧不可思議，為欲成熟諸有情故，如如有情所樂差別，如是如是示現佛土。唯然！世尊！願賜少法，當還一切妙香世界，由此法故常念如來。」

說是語已，世尊告彼諸來菩薩言：「善男子！有諸菩薩解脫法門名有盡無盡，汝今敬受當勤修學，云何名為有盡無盡？言有盡者，即是有為有生滅法；言無盡者，即是無為無生滅法。菩薩不應盡其有為，亦復不應住於無為。

「云何菩薩不盡有為？謂諸菩薩不棄大慈，不捨大悲。曾所生起增上意樂，一切智心繫念寶重而不暫忘。成熟有情，常無厭倦。於四攝事，恒不棄捨。護持正法，不惜身命。求習諸善，終無厭足。常樂安立，迴向善巧。詢求正法，曾無懈倦。敷演法教，不作師倦。常欣瞻仰供事諸佛，故受生死，而無怖畏。雖遇興衰，而無欣慼。於諸未學，終不輕陵。於已學者，敬愛如佛。於煩惱雜，能如理思。於遠離樂，能不耽染。於己樂事，曾無味著。於他樂事，深心隨喜。於所修習靜慮、解脫、等持、等至，如地獄想而不味著。於所遊歷界趣生死，如宮苑想而不厭離。於乞求者，生善友想，捨諸所有皆無顧悋。於一切智，起迴向想。於諸毀禁，起救護想。於波羅蜜多如父母想，速令圓滿。於菩提分法如翼從想，不令究竟。於諸善法常勤修習，於諸佛土恒樂莊嚴。於他佛土深心欣讚，於自佛土能速成就。為諸相好，圓滿莊嚴，修行清淨無礙大施。為身、語、心嚴飾清淨，遠離一切犯戒惡法。為令身心堅固堪忍，遠離一切忿恨煩惱。為令所修速得究竟，經劫無數生死流轉。為令自心勇猛堅住，聽佛無量功德不倦。為欲永害煩惱怨敵，方便修治般若刀杖。為欲荷諸有情重擔，於蘊、界、處求遍了知。為欲摧伏一切魔軍，熾然精進曾無懈怠。為欲護持無上正法，離慢勤求善巧化智。為諸世間愛重受化，常樂習行少欲知足。於諸世法恒無雜染，而能隨順一切世間。於諸威儀恒無毀壞，而能示現一切所作。發生種種神通妙慧，利益安樂一切有情，受持一切所聞正法。為起妙智正念總持，發生諸根勝劣妙智。為斷一切有情疑惑，證得種種無礙辯才，敷演正法常無擁滯。為受人天殊勝喜樂，勤修清淨十善業道。為正開發梵天道路，*勸進修行四無量智。為得諸佛上妙音聲，勸請說法隨喜讚善。為得諸佛上妙威儀，常修殊勝寂靜三業。為令所修念念增勝，於一切法心無染滯。為善調御諸菩薩僧，常以大乘勸衆生學。為不失壞所有功德，於一切時常無放逸。為諸善根展轉增進，常樂修治種種大願。為欲莊嚴一切佛土，常勤修習廣大善根。為令所修究竟無盡，常修迴向善巧方便。諸善男子修行此法，是名菩薩不盡有為。

「云何菩薩不住無為？謂諸菩薩雖行於空，而於其空不樂作證。雖行無相，而於無相不樂作證。雖行無願，而於無願不樂作證。雖行無作，而於無作不樂作證。雖觀諸行皆悉無常，而於善根心無厭足。雖觀世間一切皆苦，而於生死故意受生。雖樂觀察內無有我，而不畢竟厭捨自身。雖樂觀察外無有情，而常化導心無厭倦。雖觀涅槃畢竟寂靜，而不畢竟墮於寂滅。雖觀遠離究竟安樂，而不究竟厭患身心。雖樂觀察無阿賴耶，而不棄捨清白法藏。雖觀諸法畢竟無生，而常荷負利衆生事。雖觀無漏，而於生死流轉不絕。雖觀無行，而行成熟諸有情事。雖觀無我，而於有情不捨大悲。雖觀無生，而於二乘不墮正位。雖觀諸法畢竟空寂，而不空寂所修福德。雖觀諸法畢竟遠離，而不遠離所修智慧。雖觀諸法畢竟無實，而常安住圓滿思惟。雖觀諸法畢竟無主，而常精勤求自然智。雖觀諸法永無幖幟，而於了義安立佛種。諸善男子！修行此法，是名菩薩不住無為。

「又，善男子！以諸菩薩常勤修集福資糧故不住無為，常勤修集智資糧故不盡有為。成就大慈無缺減故不住無為，成就大悲無缺減故不盡有為。利益安樂諸有情故不住無為，究竟圓滿諸佛法故不盡有為。成滿一切相好莊嚴佛色身故不住無為，證得一切力、無畏等佛智身故不盡有為。方便善巧化衆生故不住無為，微妙智慧善觀察故不盡有為。修治佛土究竟滿故不住無為，佛身安住常無盡故不盡有為。常作饒益衆生事故不住無為，領受法義無休廢故不盡有為。積集善根常無盡故不住無為，善根力持不斷壞故不盡有為。為欲成滿本所願故不住無為，於永寂滅不希求故不盡有為。圓滿意樂善清淨故不住無為，增上意樂善清淨故不盡有為。恒常遊戲五神通故不住無為，佛智六通善圓滿故不盡有為。波羅蜜多資糧滿故不住無為，本所思惟未圓滿故不盡有為。集法財寶常無厭故不住無為，不樂希求少分法故不盡有為。堅牢誓願常無退故不住無為，能令誓願究竟滿故不盡有為。積集一切妙法藥故不住無為，隨其所應授法藥故不盡有為。遍知眾生煩惱病故不住無為，息除眾生煩惱病故不盡有為。諸善男子！菩薩如是不盡有為，不住無為，是名安住有盡無盡解脫法門，汝等皆當精勤修學。」

爾時，一切妙香世界最上香臺如來佛土諸來菩薩，聞說如是有盡無盡解脫門已，法教開發勸勵其心，皆大歡喜身心踊躍，以無量種上妙香花諸莊嚴具，供養世尊及諸菩薩并此所說有盡無盡解脫法門。復以種種上妙香花，散遍三千大千世界，香花覆地深沒於膝。時諸菩薩恭敬頂禮世尊雙足，右繞三匝，稱揚讚頌釋迦牟尼及諸菩薩并所說法，於此佛土欻然不現，經須臾間便住彼國。

說無垢稱經卷第五

說無垢稱經卷第六

大唐三藏法師玄奘奉詔譯

觀如來品第十二

爾時，世尊問無垢稱言：「善男子！汝先欲觀如來身故而來至此，汝當云何觀如來乎？」

無垢稱言：「我觀如來都無所見，如是而觀。何以故？我觀如來非前際來，非往後際，現在不住。所以者何？我觀如來色真如性，其性非色、受真如性，其性非受、想真如性，其性非想、行真如性，其性非行、識真如性，其性非識，不住四界，同虛空界；非六處起，超六根路；不雜三界，遠離三垢，順三解脫，隨至三明，非明而明，非至而至，至一切法無障礙際；實際非際，真如非如，於真如境常無所住，於真如智恒不明應。

「真如境智其性俱離，非因所生，非緣所起；非有相，非無相；非自相，非他相；非一相，非異相；非即所相，非離所相；非同所相，非異所相；非即能相，非離能相；非同能相，非異能相；非此岸，非彼岸，非中流；非在此，非在彼，非中間；非內，非外，非俱不俱；非已去，非當去，非今去；非已來，非當來，非今來；非智非境；非能識，非所識；非隱非顯；非闇非明；無住無去；無名無相；無強無弱；不住方分，不離方分；非雜染，非清淨；非有為，非無為；非永寂滅，非不寂滅；無少事可示，無少義可說，無施無慳，無戒無犯，無忍無恚，無勤無怠，無定無亂，無慧無愚，無諦無忘，無出無入，無去無來，一切語言施為斷滅；非福田，非不福田；非應供，非不應供；非能執，非所執；非能取，非所取；非相，非不相；非為，非不為；無數離諸數；無礙離諸礙；無增無減；平等平等，同真實際，等法界性；非能稱，非所稱，超諸稱性；非能量，非所量，超諸量性；無向無背，超諸向背；無勇無怯，超諸勇怯；非大非小，非廣非狹；無見無聞，無覺無知，離諸繫縛蕭然解脫；證會一切智智平等，獲得一切有情無二；逮於諸法無差別性，周遍一切無罪無僁、無濁無穢、無所礙著；離諸分別無作無生、無虛無實、無起無盡、無曾無當、無怖無染、無憂無喜、無厭無欣；一切分別所不能緣，一切名言所不能說。世尊！如來身相如是，應如是觀，不應異觀，如是觀者名為正觀，若異觀者名為邪觀。」

爾時，舍利子白佛言：「世尊！此無垢稱從何命終，而來生此堪忍世界？」

世尊告曰：「汝應問彼。」

時，舍利子問無垢稱：「汝從何沒，來生此土？」

無垢稱言：「唯！舍利子！汝於諸法遍知作證，頗有少法可沒生乎？」

舍利子言：「唯！無垢稱！無有少法可沒生也！」

無垢稱言：「若一切法遍知作證無沒生者。云何問言：『汝從何沒，來生此土？』又，舍利子！於意云何？諸有幻化所*生男女，從何處沒而來生此？」

舍利子言：「幻化男女，不可施設，有沒生也！」

無垢稱言：「如來豈不說一切法如幻化耶？」

舍利子言：「如是！如是！」

無垢稱言：「若一切法自性、自相如幻如化。云何仁者欻爾問言：『汝從何沒，來生此土？』又，舍利子！沒者即是諸行斷相，生者即是諸行續相，菩薩雖沒，不斷一切善法行相，菩薩雖生，不續一切惡法行相。」

爾時，世尊告舍利子：「有佛世界名曰妙喜，其中如來號為無動，是無垢稱為度衆生，從彼土沒來生此界。」

舍利子言：「甚奇！世尊！如此大士未曾有也，乃能捨彼清淨佛土，而來樂此多雜穢處。」

無垢稱曰：「唯！舍利子！於意云何？日光豈與世間闇冥樂相雜住？」

舍利子言：「不也！居士！日輪纔舉，衆冥都息。」

無垢稱曰：「日輪何故行贍部洲？」

舍利子言：「為除闇冥作照明故。」

無垢稱曰：「菩薩如是，為度有情生穢佛土，不與一切煩惱雜居，滅諸衆生煩惱闇耳。」

爾時，大衆咸生渴仰，欲見妙喜功德莊嚴清淨佛土、無動如來，及諸菩薩、聲聞等衆。佛知衆會意所思惟，告無垢稱言：「善男子！今此會中諸神仙等一切大衆咸生渴仰，欲見妙喜功德莊嚴清淨佛土、無動如來，及諸菩薩、聲聞等衆，汝可為現令所願滿。」

時，無垢稱作是思惟：「吾當於此不起于座，以神通力速疾移取妙喜世界，及輪圍山、園林、池沼、泉源、谿谷、大海、江河，諸蘇迷盧圍繞峯壑，日月星宿、天、龍、鬼神、帝釋、梵王宮殿衆會，并諸菩薩、聲聞衆等，村城聚落、國邑王都，在所居家男女大小，乃至廣說，無動如來、應、正等覺，大菩提樹聽法安坐，海會大衆諸寶蓮華，往十方界為諸有情作佛事者。三道寶階自然涌出，從贍部洲至蘇迷頂三十三天，為欲瞻仰禮敬供養不動如來及聞法故，從此寶階每時來下，贍部洲人為欲觀見三十三天園林宮室，每亦從此寶階而上，如是清淨妙喜世界，無量功德所共合成，下從水際輪，上至色究竟，悉皆斷取置右掌中，如陶家輪若花鬘貫，入此世界示諸大衆。」

其無垢稱既作是思，不起于床入三摩地，發起如是殊勝神通，速疾斷取妙喜世界，置于右掌入此界中，彼土聲聞及諸菩薩、人天大衆得天眼者，咸生恐怖俱發聲言：「誰將我去？誰將我去？唯願世尊救護我等！唯願善逝救護我等！」時無動佛為化衆生方便告言：「諸善男子！汝等勿怖！汝等勿怖！是無垢稱神力所引非我所能。」

彼土初學人天等衆未得殊勝天眼通者，皆悉安然不知不見，聞是語已咸相驚問：「我等於今當何所往？」

妙喜國土雖入此界，然其衆相無減無增，堪忍世間亦不迫迮，雖復彼此二界相雜，各見所居與本無異。

爾時，世尊釋迦牟尼告諸大衆：「汝等神仙，普皆觀見妙喜世界無動如來莊嚴佛土，及諸菩薩、聲聞等耶？」

一切咸言：「世尊！已見！」

時無垢稱即以神力，化作種種上妙天花及餘末香，與諸大眾令散供養釋迦牟尼、無動如來諸菩薩等。

於是世尊復告大眾：「汝等神仙，欲得成辦如是功德莊嚴佛土為菩薩者，皆當隨學無動如來本所修行諸菩薩行。」

其無垢稱以神通力，示現如是妙喜界時。堪忍土中有八十四那庾多數諸人天等，同發無上正等覺心，悉願當生妙喜世界。世尊咸記，皆當往生無動如來所居佛土。時無垢稱以神通力移取如是妙喜世界無動如來、諸菩薩等，為欲饒益此界有情，其事畢已，還置本處，彼此分離兩眾皆見。

爾時，世尊告舍利子：「汝已觀見妙喜世界無動如來、菩薩等不？」

舍利子言：「世尊！已見！願諸有情皆住如是莊嚴佛土。願諸有情成就如是福德智慧圓滿功德，一切皆似無動如來。願諸有情皆當獲得自在神通如無垢稱。

世尊！我等善獲勝利，瞻仰親近如是大士，其諸有情若但聞此殊勝法門，當知猶名善獲勝利。何況聞已信解、受持、讀誦通利、廣為他說，況復方便精進修行！若諸有情手得如是殊勝法門，便為獲得法珍寶藏。若諸有情信解如是殊勝法門，便為紹繼諸佛相續。若諸有情讀誦如是殊勝法門，便成菩薩與佛為伴。若諸有情受持如是殊勝法門，便為攝受無上正法。若有供養學此法者，當知其室即有如來。若有書寫供養如是殊勝法門，便為攝受一切福德、一切智智；若有隨喜如是法門，便為施設大法祠祀。若以如是殊勝法門一四句頌為他演說，便為已逮不退轉位。若善男子或善女人，能於如是殊勝法門，信解、忍受、愛樂觀察，即於無上正等菩提已得授記。」

說無垢稱經法供養品第十三

爾時，天帝釋白佛言：「世尊！我雖從佛及妙吉祥聞多百千法門差別，而未曾聞如是所說不可思議自在神變解脫法門。如我解佛所說義趣，若諸有情聽聞如是所說法門，信解、受持、讀誦通利、廣為他說，尚為法器，決定無疑，何況精勤如理修習！如是有情關閉一切惡趣險徑，開闢一切善趣夷塗，常見一切諸佛菩薩，降伏一切外道他論，摧滅一切暴惡魔軍，淨菩提道安立妙覺，履踐如來所行之路。」

復言：「世尊！若諸有情聽聞如是所說法門，信解、受持，乃至精勤如理修習，我當與其一切眷屬，恭敬供養是善男子、善女人等。世尊！若有村城聚落、國邑王都受持、讀誦、開解、流通此法門處，我亦與其一切眷屬，為聞法故，共詣其所，諸未信者當令其信，諸已信者如法護持，令無障難。」

爾時，世尊告天帝釋：「善哉！善哉！如汝所說。汝今乃能隨喜如來所說如是微妙法門。天帝！當知過去、未來、現在諸佛，所有無上正等菩提，皆於如是所說法門略說開示，是故若有諸善男子或善女人，聽聞如是所說法門，信解、受持、讀誦通利、廣為他說、書寫供養，即為供養過去、未來、現在諸佛。又，天帝釋！假使三千大千世界滿中如來，譬如甘蔗及竹葦、麻稻、山林等，若善男子或善女人，經於一劫或一劫餘，恭敬尊重讚歎承事，以諸天人一切上妙安樂供具，一切上妙安樂所居，奉施供養於諸如來，般涅槃後供養一一全身舍利，以七珍寶起窣堵波，縱廣量等四洲世界，其形高峻上至梵天，表柱、輪盤、香花、幡蓋、衆珍、伎樂嚴飾第一。如是建立一一如來七寶莊嚴窣堵波已，經於一劫或一劫餘以諸天人一切上妙花鬘、燒香、塗香、末香、衣服、幡蓋、寶幢、燈輪、衆珍、伎樂種種供具，恭敬尊重讚歎供養。於意云何？是善男子或善女人，由此因緣獲福多不？」

天帝釋言：「甚多！世尊！難思！善逝！百千俱胝那庾多劫，亦不能說其福聚量。」

佛告天帝：「如是！如是！吾今復以誠言語汝，若善男子或善女人，聽聞如是不可思議自在神變解脫法門，信解、受持、讀誦、宣說所獲福聚甚多於彼。所以者何？諸佛無上正等菩提從此生故，唯法供養乃能供養如是法門，非以財物。天帝！當知無上菩提功德多故，供養此法其福甚多！」

　　爾時，世尊告天帝釋：「乃往過去不可思議、不可稱量無數大劫有佛出世，名曰藥王如來、應、正等覺、明行圓滿、善逝、世間解、無上丈夫、調御士、天人師、佛、世尊。彼佛世界名曰大嚴，劫名嚴淨。藥王如來壽量住世二十中劫，其聲聞僧有三十六俱胝那庾多數；其菩薩衆十二俱胝。時有輪王名曰寶蓋，成就七寶主四大洲，具足千子端嚴勇健能伏他軍。時王寶蓋與其眷屬，滿五中劫恭敬尊重，讚歎承事藥王如來，以諸天人一切上妙安樂供具，一切上妙安樂所居，奉施供養過五劫已。時寶蓋王告其千子：『汝等！當知我已供養藥王如來，汝等今者亦當如我奉施供養。』於是千子聞父王教，歡喜敬受皆曰：『善哉！』一切協同滿五中劫，與其眷屬恭敬尊重讚歎承事藥王如來，以諸人天一切上妙安樂供具，一切上妙安樂所居，奉施供養。

　　「時一王子名為月蓋，獨處閑寂作是思惟：『我等於今如是慇重恭敬供養藥王如來，頗有其餘恭敬供養最上最勝過於此不?』以佛神力，於上空中有天發聲告王子曰：『月蓋！當知諸供養中其法供養最為殊勝。』即問：『云何名法供養

?』天答月蓋：『汝可往問藥王如來：「世尊！云何名法供養？」佛當為汝廣說開示。』王子月蓋聞天語已，即便往詣藥王如來，恭敬慇懃頂禮雙足，右遶三匝却住一面白言：『世尊！我聞一切諸供養中，其法供養最為殊勝，此法供養其相云何？』

「藥王如來告王子曰：『月蓋！當知法供養者，謂於諸佛所說經典，微妙甚深似甚深相，一切世間極難信受，難度難見，幽玄細密，無染了義，非分別知；菩薩藏攝，總持經王佛印所印，分別開示不退法輪，六到彼岸，由斯而起。善攝一切所應攝受，菩提分法正所隨行，七等覺支親能導發，辯說開示大慈大悲，拔濟引安諸有情類，遠離一切見趣魔怨。分別闡揚甚深緣起，辯內無我外無有情，於二中間無壽命者、無養育者，畢竟無有補特伽羅性，空、無相、無願、無作、無起相應，能引妙覺，能轉法輪。天龍、藥叉、健達縛等咸共尊重，稱歎供養，引導衆生大法供養，圓滿衆生大法祠祀，一切聖賢悉皆攝受，開發一切菩薩妙行，真實法義之所歸依，最勝無礙由斯而起。*辯說諸法無常、有苦、無我、寂靜，發生四種法嗢拕南，遣除一切慳貪、毀禁、瞋恨、懈怠、妄念、惡慧，驚怖一切外道*他論，惡見執著，開發一切有情善法增上勢力，摧伏一切惡魔軍衆，諸佛聖賢共所稱歎，能除一切生死大苦，能示一切涅槃大樂，三世十方諸佛共說。於是經典若樂聽聞、信解、受持、讀誦通利、思惟觀察甚深義趣，令其顯著施設安立，分別開示明了現前。復廣為他宣揚辯說，方便善巧攝護正法，如是一切名法供養。

「『復次，月蓋！法供養者，謂於諸法如法調伏，及於諸法如法修行，隨順緣起離諸邪見，修習無生不起法忍，悟入無我及無有情，於諸因緣無違無諍，不起異*論，離我、我所無所攝受。依趣於義，不依於文；依趣於智，不依於識；依趣了義所說契經，終不依於不了義說世俗經典而生執著；依趣法性，終不依於補特伽羅，見有所得。如其性相悟解諸法，入無藏攝滅阿賴耶，息除無明乃至老死，息除愁歎憂苦熱惱。觀察如是十二緣起，無盡引發常所引發，願諸有情捨諸見趣，如是名為上法供養。』」

佛告天帝：「王子月蓋從藥王佛聞說如是上法供養，得順法忍，即脫寶衣諸莊嚴具，奉施供養藥王如來白言：『世尊！我願於佛般涅槃後攝受正法，作法供養護持正法。唯願如來！以神通力哀愍加威，令得無難降伏魔怨，護持正法修菩薩行。』藥王如來既知月蓋增上意樂，便記之曰：『汝於如來般涅槃後能護法城。』時彼王子得聞授記歡喜踊躍，即於藥王如來住世聖法教中，以清淨信棄捨家法，趣於非家。既出家已，勇猛精進修諸善法。勤修善故，出家未久獲五神通，至極究竟得陀羅尼無斷妙辯。藥王如來般涅槃後，以其所得神通智力，經十中劫隨轉如來所轉法輪。月蓋苾芻滿十中劫，隨轉法輪護持正法，勇猛精進安立百千俱胝有情，令於無上正等菩提得不退轉。教化十四那庾多生，令於聲聞、獨一覺乘心善調順，方便引導無量有情令生天上。」

佛告天帝：「彼時寶蓋轉輪王者，豈異人乎？勿生疑惑，莫作異觀！所以者何？應知即是寶焰如來。其王千子即賢劫中有千菩薩次第成佛，最初成佛名迦洛迦孫馱如來，最後成佛名曰盧至，四已出世，餘在當來。彼時護法月蓋王子，豈異人乎？即我身是。天帝！當知我說一切於諸佛所設供養中，其法供養最尊最勝，最上最妙最為無上。是故，天帝！欲於佛所設供養者，當法供養，無以財物。」

說無垢稱經囑累品第十四

爾時，佛告慈氏菩薩：「吾今以是無量無數百千俱胝那庾多劫，所集無上正等菩提所流大法付囑於汝，如是經典佛威神力之所住持，佛威神力之所加護。汝於如來般涅槃後五濁惡世，亦以神力住持攝受，於贍部洲廣令流布無使隱滅。所以者何？於未來世，有善男子或善女人、天、龍、藥叉、健達縛等已種無量殊勝善根，已於無上正等菩提心生趣向勝解廣大，若不得聞如是經典，即當退失無量勝利，若彼得聞如是經典，必當信樂發希有心歡喜頂受。我今以彼諸善男子善女人等付囑於汝，汝當護念令無障難，於是經典聽聞修學，亦令如是所說法門廣宣流布。

「慈氏！當知略有二種菩薩相印。何等為二？一者、信樂種種綺飾文詞相印。二者、不懼甚深法門，如其性相悟入相印。若諸菩薩尊重信樂綺飾文詞，當知是為初學菩薩。若諸菩薩於是甚深無染無著、不可思議、自在神變解脫法門微妙經典，無有恐畏，聞已信解、受持、讀誦，令其通利廣為他說，如實悟入精進修行，得出世間清淨信樂，當知是為久學菩薩。慈氏！當知略由四緣，初學菩薩為自毀傷，不能獲得甚深法忍。何等為四？一者、初聞昔所未聞甚深經典，驚怖疑惑不生隨喜。二者、聞已誹謗輕毀，言是經典我昔未聞從何而至。三者、見有受持演說此深法門善男子等，不樂親近恭敬禮拜。四者、後時輕慢、憎嫉、毀辱、誹謗。由是四緣，初學菩薩為自毀傷，不能獲得甚深法忍。

「慈氏！當知略由四緣，信解甚深法門菩薩，為自毀傷，不能速證無生法忍。何等為四？一者、輕蔑發趣大乘未久修行初學菩薩。二者、不樂攝受、誨示、教授、教誡。三者、甚深廣大學處，不深敬重。四者、樂以世間財施攝諸有情，不樂出世清淨法施。由是四緣，信解甚深法門菩薩，為自毀傷，不能速證無生法忍。」

慈氏菩薩聞佛語已，歡喜踊躍而白佛言：「世尊所說甚為希有！如來所言甚為微妙！如佛所示菩薩過失，我當悉皆究竟遠離。如來所有無量無數百千俱胝那庾多劫，所集無上正等菩提所流大法，我當護持，令不隱滅。若未來世，諸善男子或善女人，求學大乘是真法器，我當令其手得如是甚深經典，與其念力，令於此經受持、讀誦、究竟通利、書寫、供養、無倒修行、廣為他說。世尊！後世於是經典，若有聽聞、信解、受持、讀誦、通利、無倒修行、廣為他說，當知皆是我威神力住持加護。」

世尊告曰：「善哉！善哉！汝為極善，乃能隨喜如來善說，攝受護持如是正法。」

爾時，會中所有此界及與他方諸來菩薩，一切合掌俱發聲言：「世尊！我等亦於如來般涅槃後，各從他方諸別世界皆來至此，護持如來所得無上正等菩提所流大法，令不隱滅，廣宣流布。若善男子或善女人，能於是經聽聞、信解、受持、讀誦、究竟通利、無倒修行、廣為他說，我當護持，與其念力，令無障難。」

時，此衆中四大天王，亦皆合掌同聲白佛：「世尊！若有村城聚落、國邑王都如是法門所流行處，我等皆當與其眷屬并大力將率諸軍衆，為聞法故，往詣其所，護持如是所說法門及能宣說、受持、讀誦此法門者。於四方面百踰繕那，皆令安隱無諸障難，無有伺求得其便者。」

爾時，世尊復告具壽阿難陀曰：「汝應受持如是法門，廣為他說令其流布。」阿難陀曰：「我已受持如是法門。世尊！如是所說法門，其名何等？我云何持？」

世尊告曰：「如是名為說無垢稱不可思議自在神變解脫法門，應如是持。」

時薄伽梵說是經已，無垢稱菩薩、妙吉祥菩薩、具壽阿難陀及餘菩薩、大聲聞衆，并諸天、人、阿素洛等，聞佛所說，皆大歡喜，信受奉行。

說無垢稱經卷第六

南無護法韋馱尊天菩薩

全佛文化圖書出版目錄

佛教小百科系列

□ 佛菩薩的圖像解說1-總論•佛部	320	□ 佛教的塔婆	290
□ 佛菩薩的圖像解說2-菩薩部•觀音部•明王部	280	□ 中國的佛塔-上	240
		□ 中國的佛塔-下	240
□ 密教曼荼羅圖典1-總論•別尊•西藏	240	□ 西藏著名的寺院與佛塔	330
		□ 佛教的動物-上	220
□ 密教曼荼羅圖典2-胎藏界上	300	□ 佛教的動物-下	220
□ 密教曼荼羅圖典2-胎藏界中	350	□ 佛教的植物-上	220
□ 密教曼荼羅圖典2-胎藏界下	420	□ 佛教的植物-下	220
□ 密教曼荼羅圖典3-金剛界上	260	□ 佛教的蓮花	260
□ 密教曼荼羅圖典3-金剛界下	260	□ 佛教的香與香器	280
□ 佛教的真言咒語	330	□ 佛教的神通	290
□ 天龍八部	350	□ 神通的原理與修持	280
□ 觀音寶典	320	□ 神通感應錄	250
□ 財寶本尊與財神	350	□ 佛教的念珠	220
□ 消災增福本尊	320	□ 佛教的宗派	295
□ 長壽延命本尊	280	□ 佛教的重要經典	290
□ 智慧才辯本尊	290	□ 佛教的重要名詞解說	380
□ 令具威德懷愛本尊	280	□ 佛教的節慶	260
□ 佛教的手印	290	□ 佛教的護法神	320
□ 密教的修法手印-上	350	□ 佛教的宇宙觀	260
□ 密教的修法手印-下	390	□ 佛教的精靈鬼怪	280
□ 簡易學梵字(基礎篇)-附CD	250	□ 密宗重要名詞解說	290
□ 簡易學梵字(進階篇)-附CD	300	□ 禪宗的重要名詞解說-上	360
□ 佛教的法器	290	□ 禪宗的重要名詞解說-下	290
□ 佛教的持物	330	□ 佛教的聖地-印度篇	200

佛經修持法系列

□ 如何修持心經	200	□ 如何修持阿閦佛國經	200
□ 如何修持金剛經	260	□ 如何修持華嚴經	290
□ 如何修持阿彌陀經	200	□ 如何修持圓覺經	220
□ 如何修持藥師經-附CD	280	□ 如何修持法華經	220
□ 如何修持大悲心陀羅尼經	220	□ 如何修持楞嚴經	220

光明導引系列

□ 阿彌陀經臨終光明導引-臨終救度法	350	□ 送行者之歌(附國台語雙CD)	480

洪老師禪座教室系列

- □ 靜坐-長春.長樂.長效的人生 200
- □ 放鬆(附CD) 250
- □ 妙定功-超越身心最佳功法(附CD) 260
- □ 妙定功VCD 295
- □ 睡夢-輕鬆入眠•夢中自在(附CD) 240
- □ 沒有敵者-強化身心免疫力的修鍊法(附CD) 280
- □ 夢瑜伽-夢中作主.夢中變身 260
- □ 如何培養定力-集中心靈的能量 200

禪生活系列

- □ 坐禪的原理與方法-坐禪之道 280
- □ 以禪養生-呼吸健康法 200
- □ 內觀禪法-生活中的禪道 290
- □ 禪宗的傳承與參禪方法-禪的世界 260
- □ 禪的開悟境界-禪心與禪機 240
- □ 禪宗奇才的千古絕唱-永嘉禪師的頓悟 260
- □ 禪師的生死藝術-生死禪 240
- □ 禪師的開悟故事-開悟禪 260
- □ 女禪師的開悟故事(上)-女人禪 220
- □ 女禪師的開悟故事(下)-女人禪 260
- □ 以禪療心-十六種禪心療法 260

佛家經論導讀叢書系列

- □ 雜阿含經導讀-修訂版 450
- □ 異部宗論導讀 240
- □ 大乘成業論導讀 240
- □ 解深密經導讀 320
- □ 阿彌陀經導讀 320
- □ 唯識三十頌導讀-修訂版 520
- □ 唯識二十論導讀 300
- □ 小品般若經論對讀-上 400
- □ 小品般若經論對讀-下 420
- □ 金剛經導讀 220
- □ 心經導讀 160
- □ 中論導讀-上 420
- □ 中論導讀-下 380
- □ 楞伽經導讀 400
- □ 法華經導讀-上 220
- □ 法華經導讀-下 240
- □ 十地經導讀 350
- □ 大般涅槃經導讀-上 280
- □ 大般涅槃經導讀-下 280
- □ 維摩詰經導讀 220
- □ 菩提道次第略論導讀 450
- □ 密續部總建立廣釋 280
- □ 四法寶鬘導讀 200
- □ 因明入正理論導讀-上 240
- □ 因明入正理論導讀-下 200

談錫永作品系列

- □ 閒話密宗 200
- □ 西藏密宗占卜法-妙吉祥占卜法(組合) 580
- □ 細說輪迴生死書-上 200
- □ 細說輪迴生死書-下 200
- □ 西藏密宗百問 250
- □ 觀世音與大悲咒 220
- □ 佛家名相 220
- □ 密宗名相 220
- □ 佛家宗派 220
- □ 佛家經論-見修法鬘 180
- □ 生與死的禪法 260
- □ 細說如來藏 280
- □ 如來藏三談 300

大中觀系列

□ 四重緣起深般若-增訂版	420	□ 如來藏經論研究 (4、5、6冊三本一套，盒裝)	950
□ 心經內義與究竟義- 印度四大論師釋《心經》	350	□ 如來藏二諦見	360
□ 聖入無分別總持經對堪及研究	390	□ 《聖妙吉祥真實名經》梵本校譯	390
□ 《入楞伽經》梵本新譯	320	□ 《聖妙吉祥真實名經》釋論三種	390
□ 《寶性論》梵本新譯	320		
□ 如來藏論集	330		

甯瑪派叢書-見部系列

□ 九乘次第論集- 佛家各部見修差別	380	□ 無修佛道- 現證自性大圓滿本來面目教授	360
□ 甯瑪派四部宗義釋	480	□ 幻化網秘密藏續釋-光明藏	560
□ 辨法法性論及釋論兩種	480	□ 善說顯現喜宴- 甯瑪派大圓滿教法	650
□ 決定寶燈	480		

甯瑪派叢書-修部系列

□ 大圓滿心性休息導引	395	□ 幻化網秘密藏續	480
□ 大圓滿前行及讚頌	380	□ 六中有自解脫導引	520

李潤生作品系列

□ 佛家輪迴理論-上	360	□ 百論析義-下	480
□ 佛家輪迴理論-下	390	□ 唯識.因明.禪偈的深層探究-上	350
□ 生活中的佛法-山齋絮語	390	□ 唯識.因明.禪偈的深層探究-下	390
□ 百論析義-上	450		

蓮花生大士全傳系列

□ 蓮花王	320	□ 廣大圓滿	320
□ 師子吼聲	320	□ 無死虹身	320
□ 桑耶大師	320	□ 蓮花生大士祈請文集	280

密乘寶海系列

□ 現觀中脈實相成就- 開啟中脈實修秘法	290	□ 密宗修行要旨- 總攝密法的根本要義	430
□ 智慧成就拙火瑜伽	330	□ 密宗成佛心要- 今生即身成佛的必備書	240
□ 蓮師大圓滿教授講記- 藏密寧瑪派最高解脫法門	220	□ 無死-超越生與死的無死瑜伽	200

□ 密宗的源流-密法內在傳承的密意 240
□ 恆河大手印-傾瓶之灌的帝洛巴恆河大手印 240
□ 岡波巴大手印-大手印導引顯明本體四瑜伽 390
□ 大白傘蓋佛母-息災護佑行法(附CD) 295
□ 孔雀明王行法-摧伏毒害煩惱 260
□ 月輪觀‧阿字觀-密教觀想法的重要基礎 350
□ 穢積金剛-滅除一切不淨障礙 290
□ 五輪塔觀-密教建立佛身的根本大法 290
□ 密法總持-密意成就金法總集 650

高階禪觀系列

□ 通明禪禪觀-迅速開啟六種神通的禪法 200
□ 十種遍一切處禪觀-調練心念出生廣大威力的禪法 280
□ 四諦十六行禪觀-佛陀初轉法輪的殊勝法門 350
□ 三三昧禪觀-證入空、無相、無願三解脫門的禪法 260
□ 大悲如幻三昧禪觀-修行一切菩薩三昧的根本 380
□ 圓覺經二十五輪三昧禪觀-二十五種如來圓覺境界的禪法 400

禪觀寶海系列

□ 禪觀秘要 1200

白話佛經系列

□ 白話華嚴經(第一冊) 680
□ 白話華嚴經(第二冊) 680
□ 白話華嚴經(第三冊) 680
□ 白話華嚴經(第四冊) 680

其他系列

□ 入佛之門-佛法在現代的應用智慧 350
□ 如觀自在-千手觀音與大悲咒的實修心要 650
□ 神通-佛教神通學大觀 590
□ 仁波切我有問題-一本關於空的見地、禪修與問答集 240
□ 認識日本佛教 360
□ 普賢法身之旅-2004美東弘法紀行 450

離言叢書系列

□ 解深密經密意 390
□ 無邊莊嚴會密意 190

全套購書85折、單冊購書9折

(郵購請加掛號郵資60元)

全佛文化事業有限公司
新北市新店區民權路95號4樓之1
Buddhall Cultural Enterprise Co.,Ltd.
購書專線:886-2-2913-2199
購書傳真:886-2-2913-3693
郵政劃撥帳號:19203747
戶名:全佛文化事業有限公司

佛菩薩經典系列 8

《維摩詰菩薩經典》

主　編　全佛編輯部
出　版　全佛文化事業有限公司
永久信箱：台北郵政26-341號信箱
訂購專線：(02)2913-2199
傳真專線：(02)2913-3693
發行專線：(02)2219-0898
郵政劃撥：19203747
戶名：全佛文化事業有限公司
E-mail：buddhall@ms7.hinet.net
http://www.buddhall.com
門　市　心茶堂
新北市新店區民權路95號4樓之1（江陵金融大樓）
門市專線：(02)2219-8189
行銷代理　紅螞蟻圖書有限公司
台北市內湖區舊宗路二段121巷28之32號4樓（富頂科技大樓）
電話：(02)2795-3656
傳真：(02)2795-4100
一九九五年十二月　初版
二〇一二年八月　初版三刷
定價新台幣　二五〇元
ISBN　978-957-9462-22-8（平裝）

Published by BuddhAll Cultural Enterprise Co.,Ltd.

國家圖書館出版品預行編目資料

維摩詰菩薩經典 / 全佛編輯部主編- - 初版.
-- 臺北市：全佛文化出版,
1995[民84]　面；　公分. -
(佛菩薩經典系列；8)
ISBN 978-957-9462-22-8(平裝)

1.經集部
221.72　　84012607

全佛

廣告回信
台灣北區郵政管理局登記證
北台字第8490號

郵資已付，免貼郵票

台北郵政第26～341號信箱

全佛文化事業有限公司　收

請沿虛線對摺，謝謝！

全佛

系列：佛菩薩經典系列8　書名：維摩詰菩薩經典

此處請用膠水黏貼

讀者服務卡

謝謝您購買此書，如您對本書有任何建議或希望收到最新書訊、全佛雜誌與相關活動訊息，請郵寄或傳真寄回本單。

姓名：＿＿＿＿＿＿＿＿＿＿ 性別：□男 □女

電話：＿＿＿＿＿＿＿＿＿＿ 手機：＿＿＿＿＿＿＿＿＿＿

出生日期：＿＿＿年＿＿＿月＿＿＿日 婚姻狀況：□已婚 □未婚

住址：＿＿＿＿＿＿＿＿＿＿＿＿＿＿＿＿＿＿＿＿

E-mail: ＿＿＿＿＿＿＿＿＿＿

法門傾向：□顯宗 □密宗 □禪宗 □淨土 □其他＿＿＿＿＿

職業：□學生 □自由業 □服務業 □傳播業 □金融商業 □資訊業

□製造業 □出版文教 □軍警公教 □其他＿＿＿＿＿

■您如何購得此書？

□書店＿＿＿＿＿縣/市 ＿＿＿＿＿＿書店

□網路平台(書店)＿＿＿＿＿＿ □其他＿＿＿＿＿

■您對本書的評價（請塡代號1.非常滿意 2.滿意 3.尙可 4.待改進）

＿定價 ＿內容 ＿封面設計 ＿版面編排 ＿印刷 ＿整體評價

■對我們的建議：＿＿＿＿＿＿＿＿＿＿＿＿＿＿＿＿＿

＿＿＿＿＿＿＿＿＿＿＿＿＿＿＿＿＿＿＿＿

＿＿＿＿＿＿＿＿＿＿＿＿＿＿＿＿＿＿＿＿

＿＿＿＿＿＿＿＿＿＿＿＿＿＿＿＿＿＿＿＿

全佛文化事業有限公司
訂購專線:886-2-2913-2199 傳真專線:886-2-2913-3693
http://www.buddhall.com

此處請用膠水黏貼